100 TIRANOS

TEXTOS: **NIGEL CAWTHORNE**

Ediouro Publicações de Lazer e Cultura Ltda.
Rio de Janeiro, 2015

100 TIRANOS

Coordenação Editorial: Daniel Stycer
Edição: Dirley Fernandes
Assistência de edição: Vinicius Palermo
Direção de Arte: Sidney Ferreira
Pesquisa iconográfica: Paloma Brito
Tradução: Carlos Eduardo Mattos, Jaime Biaggio e Davi Figueiredo de Sá
Revisão: Ricardo Jensen de Oliveira
Assistência de Produção: Raquel Souza

Copyright©Arcturus Publishing Limited
Ediouro Publicações Ltda.
Rua Nova Jerusalém 345
CEP: 21042-235
Rio de Janeiro – RJ
Tel. (21) 3992-8200
www.ediouro.com.br
www.historiaviva.com.br
facebook.com.br/historiaviva

Todos os direitos reservados. Nenhuma parte desta obra pode ser reproduzida ou transmitida por qualquer forma e/ou quaisquer meios (eletrônico ou mecânico, incluindo fotocópia e gravação) ou arquivada em qualquer sistema ou banco de dados sem autorização dos detentores dos direitos autorais

APRESENTAÇÃO

DE ONDE VEM A TIRANIA?

Shihhuang, dois séculos antes de Cristo, conseguiu o feito de unificar a China, com sua miríade de dialetos, sob um único estado, obra que perdura até hoje. Gêngis Khan abriu estradas, criou um sistema de comunicações e ligou definitivamente a Ásia à Europa. Pedro, O Grande retirou a Rússia de um atraso secular, enquanto Lenin a conduziu ao socialismo, destruindo um império onde a fome das massas e os privilégios da nobreza eram acintosos.

Todas essas referências são positivas e, no entanto, os personagens citados desfilam nas páginas seguintes na condição de "tiranos", ou seja, aquele que tomou para si a soberania do Estado e exerceu seu poder de forma violenta e discricionária. Isso mostra que a História não permite análises simplistas e maniqueísmos. Afinal, o mesmo Fidel Castro que enfrentou com firmeza o imperialismo americano e construiu eficientíssimos sistemas de saúde e educação em Cuba permitiu que oponentes políticos fossem sumariamente fuzilados.

Estar listado aqui entre os "tiranos", portanto, não representa uma condenação a priori. Afinal, como diz a famosa máxima de Ortega y Gasset, "o homem é o homem e a sua circunstância". O importante, neste volume da coleção **História Viva**, é jogar luz sobre períodos e lugares os mais diferentes para perceber de onde brota a tirania. E não raro fica claro que ela pode surgir de boas intenções iniciais que se perdem pelo caminho ou da velha noção de que os fins podem justificar os meios. Os antídotos para esse caminho inglório, como se sabe desde a Grécia de Polícrates, é o respeito aos direitos individuais, a tolerância e a democracia.

SUMÁRIO

PARTE I – ANTIGUIDADE

01 Akhenaton 8
02 Senaqueribe 9
03 Fédon de Argos 10
04 Tarquínio, o Soberbo 10
05 Polícrates 11
06 Alexandre, o Grande 11
07 Imperador Qin Shihhuang 13
08 Herodes, o Grande 14
09 Augusto 16
10 Calígula 17
11 Agripina 19
12 Nero 20
13 Domiciano 21
14 Átila 22
15 Fredegunda 23

PARTE II – IDADE MÉDIA

16 Wu Hou 24
17 Harun-Al-Rashid 25
18 Santa Olga 25
19 Gêngis Khan 26
20 João 30
21 Pedro, o Gruel 31
22 Tamerlão 32
23 Gian Galeazzo Visconti 33
24 Tomás de Torquemada 34
25 Vlad, o Empalador 36
26 Ricardo III 38
27 César Bórgia 38
28 Francisco Pizarro 39
29 Hernán Cortés 40
30 Henrique VIII 42
31 Mary I 44
32 Catarina De Médici 45
33 Ivan, o Terrível 45
34 Toyotomi Hideyoshi 48
35 Boris Godunov 48
36 Elisabete Báthory 49
37 Carlos I 50
38 Aurangzeb 52
39 Pedro, o Grande 52
40 Frederico Guilherme I 54
41 Nadir Xá 55

PARTE III – ERA NAPOLEÔNICA

42 Catarina, a Grande 56
43 Tipu 59
44 Jorge III 60
45 Luís XVI 61
46 Paulo I 62
47 Maximilien de Robespierre 63
48 Dr José Gaspar Rodríguez Francia 66
49 Napoleão Bonaparte 68

50	Ludovico I e Ludovico II	72
51	Agustín de Iturbide	75
52	Juan Manuel de Rosas	76
53	Shaka	76
54	Hung Hsiu-Ch'uan	77
55	Ferdinando II	78
56	Francisco Solano López	78
57	Teodoro II, da Etiópia	80
58	Leopoldo II	81
59	Antonio Guzmán Blanco	84
60	Mwanga	85

PARTE IV — MUNDO MODERNO

61	Tzu-Hsi	86
62	Porfirio Díaz	87
63	Kaiser Guilherme II	87
64	Vladimir Ilyich Lenin	88
65	Juan Perón	89
66	Syngman Rhee	90
67	Josef Stalin	91
68	Benito Mussolini	92
69	Chiang Kai-Shek	93
70	Adolf Hitler	94
71	Rafael Trujillo	96
72	António de Oliveira Salazar	97
73	Francisco Franco	98
74	Mao Tsé-Tung	99
75	Anastasio Somoza García	102
76	Aiatolá Khomeini	103
77	Fulgencio Batista	105
78	Ngo Dinh Diem	105
79	Achmed Sukarno	106
80	François Duvalier ("Papa Doc")	107
81	Kwame Nkrumah	108
82	Enver Hoxha	109
83	Alfredo Stroessner	110
84	Kim Il-Sung	111
85	Augusto Pinochet	112
86	Ferdinand Marcos	113
87	Nicolae Ceausescu	114
88	Jean Bedel Bokassa	115
89	Robert Mugabe	116
90	Idi Amin	117
91	Fidel Castro	118
92	Efrain Ríos Montt	119
93	Pol Pot	121
94	Mobutu Sese Seko	122
95	Mengistu Haile Mariam	123
96	Saddam Hussein	124
97	Slobodan Milosevic	125
98	Muamar Al-Kadafi	127
99	Hissen Habré	129
100	Samuel Doe	130

Estátua de Akhenaton, *arenito*, 1353-1335 a.C., Museu Egípcio, Cairo

PARTE I
ANTIGUIDADE

AKHENATON
O FILHO DO SOL

1353-1336 A.C. — **FARAÓ DO EGITO**

Chamado de Amenhotep (Amenófis na versão grega do nome) por ocasião de seu nascimento, ele era filho do faraó Amenhotep III, que havia expandido os domínios da 18ª dinastia na Ásia e na África. No sexto ano de seu reinado, Amenhotep IV abandonou a velha religião e abraçou o culto monoteísta do deus Aton, assumindo o nome Akhenaton, que significa "aquele que serve Aton".

A nova religião foi imposta ao povo egípcio e o faraó fez construir enormes templos em Karnak, nos lugares dos templos dedicados aos antigos deuses. Ele deslocou sua capital ao longo do Nilo, de Tebas, no Alto Egito, para Amarna (Médio Egito). Foi construída uma nova cidade denominada Akhetaton – que significa "Lugar do Efetivo Poder de Aton".

Akhenaton centralizou o governo e a economia, apropriando-se de vastas extensões de terra e impondo pesados tributos. Paralelamente, enviou seus agentes por todo o reino, para destruir os monumentos e os altares das antigas divindades. A burocracia tornou-se corrupta, o exército foi negligenciado e ele perdeu a maioria dos territórios conquistados por seu pai. Quando Akhenaton morreu, foi sucedido por Tutankhaton, o qual, num repúdio público a Aton, e num retorno ao velho deus Amon, temporariamente substituído por Aton, foi forçado a mudar seu nome para Tutankhamon.

Senaqueribe, príncipe herdeiro, *painel de alabastro em relevo*, séc. VIII a.C, Museu Britânico

SENAQUERIBE
O TERROR DA BABILÔNIA

MORREU EM 681 A.C. | **REI DA ASSÍRIA**

Quando Senaqueribe sucedeu a seu pai, Sargão II, no trono da Assíria, em 704 a.C., as províncias da Babilônia e da Palestina se rebelaram. Nos anos seguintes, Senaqueribe conduziu campanhas para retomá-las. O levante palestino tinha sido apoiado pelos egípcios, mas a invasão punitiva ao Egito planejada por Senaqueribe foi suspensa quando, segundo Heródoto, uma praga de ratos roeu as aljavas e as cordas dos arcos assírios.

Quando um rei caldeu tomou o poder na Babilônia em 691 a.C. e usou as riquezas da cidade para comprar o apoio dos vizinhos elamitas, Senaqueribe atacou, derrotando em Halule um exército conjunto caldeu-elamita.

Então, em 689 a.C., ele retornou a Babilônia – na época o centro da cultura mundial –, atacou a cidade e a destruiu. A destruição chocou o mundo antigo. Prisioneiros de guerra foram usados em trabalhos forçados para reconstruir o palácio de Senaqueribe na cidade assíria de Nínive. Ele foi assassinado por seus filhos em janeiro de 681 a.C.

FÉDON DE ARGOS
PIONEIRO GREGO

MORREU EM C. 660 A.C. | **TIRANO DE ATENAS**

Foi Aristóteles quem chamou Fédon de tirano – o primeiro da Grécia. Na verdade, a palavra "tirano" parece ter sido introduzida na língua grega especialmente para ele. Rei hereditário de Argos, Fédon organizou um exército de infantaria concentrada, algo jamais visto na Europa, apenas na Ásia, o que levou as batalhas a um novo patamar de violência.

Em 669 a.C., ele derrotou os lacedemônios em Hísias, o que o pôs em conflito com os espartanos, que se consideravam os tradicionais exterminadores de tiranos. Fédon os derrotou e em seguida tomou Atenas. Na ocasião a cidade de Egina, que havia desenvolvido sua força naval, estava em guerra com Atenas, o tradicional poder naval no Egeu.

Fédon havia se aliado a Egina, mas, quando Atenas caiu, ele conquistou também Egina. Conta-se que ele realizou ali a primeira cunhagem de moedas de prata. Introduziu também um sistema-padrão de pesos e medidas, as chamadas medidas fedonianas, o qual rapidamente se espalhou através do Peloponeso.

Em 668 a.C., ele interveio em Olímpia, tomando o templo de Zeus, em apoio aos habitantes de Pisa em seus esforços para retirar da cidade de Élis o controle dos Jogos. Tentou anexar Corinto também, o que o colocou mais uma vez em conflito com Esparta. Sícion, Samos e Mitetus também parecem ter caído em suas mãos.

Aristóteles descreveu Fédon como um tirano porque, para se manter no poder, ele dependia mais da força militar do que do consentimento. O poder estava concentrado nas mãos de um só homem, e não dividido entre a aristocracia. Fédon parece ter sido morto na guerra civil em Corinto, que deu o governo ao primeiro tirano daquela cidade-estado. Outros tiranos logo tomaram o poder em Epidauro, Mégara e Sícion.

TARQUÍNIO,
O SOBERBO

Tarquínio, O soberbo, ilustração, livro *Promptuarii iconum insigniorum à seculo hominum, subiectis eorum vitis, per compendium ex probatissimis autoribus desumptis*, Guillaume Rouille, séc. XVI

564-505 A.C. | **ÚLTIMO REI DE ROMA**

Tarquinius Superbus – "Tarquínio, o Soberbo" – foi o sétimo e último rei de Roma na Antiguidade. Seu pai ou avô, o rei Tarquínio Prisco (Tarquínio, o Antigo), tinha sido assassinado em 579 a.C., sendo sucedido por Sérvio Túlio. Mas Tarquínio queria o trono para si.

Assassinando Túlio, a mulher e o irmão dele em 534 a.C., Tarquínio desposou a viúva do irmão de Túlio e se tornou rei. Em seguida, fez executar muitos senadores, num reinado de terror. Ele era desprezado pelos romanos, em parte por seu despotismo, mas também por ser etrusco. Em 509 a.C., o filho de Tarquínio, Sexto, estuprou uma aristocrata chamada Lucrécia. Os romanos se sublevaram liderados pela família patrícia dos Júnio Bruto, a mesma que estaria à frente do assassinato de Júlio César 500 anos depois, e expulsou todo o clã de Tarquínio.

O rei destronado fugiu para a Etrúria e pediu auxílio aos soberanos locais para recuperar o trono. Um exército liderado por Porsena, que reinava em Clúsio, conseguiu derrotar Roma e anexar territórios romanos, mas não chegou a restabelecer a monarquia. Por quase 500 anos, Roma seria uma república, governada por líderes eleitos.

POLÍCRATES
A MARCA DA TRAIÇÃO

MORREU EM 522 A.C. **TIRANO DE SAMOS**

Polícrates e seus dois irmãos ganharam o controle da cidade de Samos enquanto seus habitantes estavam celebrando fora das muralhas o festival de Hera. Em seguida, ele se livrou dos irmãos e construiu uma enorme frota com a qual saqueou pelo Egeu.

Polícrates firmara um tratado com o Egito, mas quando os persas atacaram, em 525 a.C., mudou de lado, enviando uma esquadra para se unir à frota persa. A bordo estavam dois de seus oponentes políticos. Ele tinha esperanças de que ambos fossem mortos, mas em vez disso eles retornaram com o exército espartano. Felizmente para Polícrates, ele conseguiu comprar os espartanos, pagando-os com moedas falsificadas. Seu fim chegou quando Oretes, o governador persa de Sardis, o atraiu à porção continental da Ásia Menor, onde ele foi crucificado.

ALEXANDRE, O GRANDE
ATÉ O FIM DO MUNDO

356-323 A.C. **REI DA MACEDÔNIA**

Alexandre, o Grande, era um tirano tão sedento de sangue que foi retratado na Bíblia (Livro de Daniel) como "A Terceira Fera", e no Corão como "Aquele com Dois Chifres", que devastará novamente a terra com Satã nos últimos dias. Ele começou sua carreira tirânica em 340 a.C., quando seu pai, Filipe II da Macedônia, o tornou regente. O rapaz de 16 anos esmagou prontamente uma rebelião dos medos da Trácia, apoderou-se de sua principal cidade e deu-lhe o próprio nome, chamando-a de Alexandrópolis. Dois anos mais tarde, ele conduziu uma carga decisiva na Batalha de Queroneia, fazendo em pedaços as tropas de elite de Tebas, o Batalhão Sagrado.

Em 336 a.C., ele ascendeu ao trono da Macedônia, embora fosse suspeito de envolvimento no assassinato de seu pai – Filipe havia casado novamente e tinha um filho que poderia pretender disputar com Alexandre o trono.

O garoto e sua irmã, ainda bebê, foram mortos pela mãe de Alexandre, que, segundo alguns relatos, teria pressionado o rosto deles contra um braseiro. A nova mulher de Filipe também foi morta. A Grécia se rebelou. Alexandre respondeu arrasando Tebas até o chão. Ele ordenou a execução sumária de 6 mil de seus habitantes. Em seguida declarou guerra à Pérsia, em retaliação pela invasão persa da Grécia quase 150 anos antes!

Mas a verdade é que seu tutor, Aristóteles, havia lhe ensinado que os povos bárbaros serviam apenas para ser escravos dos gregos.

Alexandre derrotou uma força persa entrincheirada ao longo do rio Granico, esquartejando cerca de 4 mil mercenários gregos. Ele enfrentou o rei persa Dario na Batalha de Isso, para a qual as estimativas dos mortos persas variam entre 5 mil e 10 mil.

Alexandre e Bucéfalo, detalhe do mosaico de Alexandre, o Grande, c. 150 a.C., Museu Arqueológico de Nápoles

Ele se apoderou da mulher de Dario e a engravidou, e também do eunuco favorito do rei persa e de seu harém de 365 das mais belas mulheres da Ásia. Alexandre costeou em seguida o Mediterrâneo oriental, destruindo quem se opusesse a ele. Tiro estava disposta a se render, mas recusou-lhe autorização para realizar no local um festival religioso. Em resposta, ele tomou de assalto a cidade fenícia, abatendo soldados e civis. Mulheres e crianças morreram nas chamas depois que ele incendiou os templos em que se haviam refugiado.

Dois mil homens em idade militar foram crucificados na praia e 30 mil pessoas, vendidas como escravas. A seguir, em Gaza, toda a população masculina foi morta. Alexandre conquistou o Egito sem encontrar oposição. Retornando pela Palestina, reduziu a cidade de Samaria a ruínas. Após ter derrotado outra vez Dario na Batalha de Gaugamela, ele tomou Babilônia, a cidade mais rica do Oriente Médio, onde seus homens se entregaram a uma orgia de cinco semanas antes de seguirem para a capital da Pérsia, Persépolis, que Alexandre queimou, provavelmente enquanto ainda estava bêbado. Ele continuou a perseguir o fugitivo Dario e, quando este foi morto, perseguiu seus assassinos. Quando capturou o principal regicida, Besso, este foi despido e chicoteado, teve cortados as orelhas e o nariz e foi crucificado.

Assumindo o título de "Senhor do mundo", Alexandre começou a adotar os costumes persas; os gregos que se recusassem a prosternar-se diante dele, no estilo persa, corriam risco de execução. Alexandre abria e lia a correspondência de seus homens. Quem quer que mostrasse o menor sinal de descontentamento era encarregado de missões perigosas ou de guarnecer localidades remotas.

Ele prosseguiu em sua marcha até a Índia, destruindo cidades e exterminando sua população. Em Mássaga, capital dos assacenos, Alexandre ofereceu salvo-conduto aos 7 mil mercenários indianos que defendiam a cidade e em seguida os matou, juntamente com suas mulheres e filhos, quando eles se recusaram a juntar-se aos macedônios e lutar contra seus compatriotas.

No rio Jhelum, Alexandre enfrentou o rei Poro. As mortes de indianos nessa batalha foram estimadas entre 12 mil e 23 mil, incluindo os dois filhos do rei. Seu exército, então, marchou até o rio Beas, onde seus homens se recusaram a prosseguir. Embora Alexandre lhes assegurasse que estavam se aproximando do grande oceano Oriental que marcava o fim do mundo, eles podiam ver o deserto do norte da Índia e o Himalaia. O império de Alexandre era então mais vasto do que o de qualquer imperador persa, e ele havia superado até mesmo os feitos dos heróis mitológicos gregos. Depois de ter ido para o sul, Alexandre atravessou o deserto de Gedrósia, perdendo metade de seus soldados e todas as mulheres e crianças que acompanhavam a tropa. Alexandre empreendeu a travessia simplesmente porque todos os que a tentaram antes haviam fracassado. De volta à Pérsia, ele enviou instruções às cidades-estado gregas de que deveria ser declarado um deus.

Em 323 a.C., Alexandre morreu em Babilônia aos 32 anos de idade, depois de dez dias de bebedeira. Há boas razões para acreditar que tenha sido envenenado. Sem um sucessor definido, seu império logo se desintegrou. Boa parte da população masculina da Macedônia havia morrido nas guerras, e o país nunca mais se reergueu.

IMPERADOR QIN SHIHUANG
UNIFICAÇÃO A FERRO E FOGO

C. 259 A.C.-C. 210 A.C. | **IMPERADOR DA CHINA**

Nascido com o nome de Cheng Hsiang, tornou-se governante de Qin, no noroeste da China, aos 13 anos. Seu primeiro-ministro serviu como regente, mas foi exilado quando Cheng alcançou a maioridade, em 236 a.C. Ele então lançou-se numa campanha brutal para dominar todos os outros Estados feudais da China.

Intitulando-se "Qin-huang-ti" – "Primeiro Imperador Soberano" –, ele consolidou o poder forçando todas as famílias importantes a morar em sua capital, Hsien-yang, onde podia conservá-las sob vigilância. Quem discordasse dele era executado.

Em 213 a.C., Qin ordenou a queima de todos os livros, exceto daqueles sobre agricultura, medicina ou profecia. Obcecado com a ideia taoista da imortalidade, ele enviou centenas de mágicos em busca das lendárias Ilhas dos Abençoados, nas quais se dizia que os habitantes viviam para sempre, enquanto centenas mais eram encarregadas de preparar o elixir da vida.

Quando fracassaram, mandou executar 460 deles. Com o avanço da idade, o soberano retirou-se para um vasto palácio, um dos muitos construídos por 700 mil homens a seu serviço. Não se sabe quantos foram obrigados a trabalhar também na construção da Grande Muralha, que ele se esforçou para unificar.

A data precisa da morte de Qin Shihuang, por volta de 210 a.C., não pode ser determinada. Ele foi enterrado num túmulo gigantesco numa montanha, guardado por 6 mil guerreiros em terracota. A dinastia Qin foi extinta poucos anos após a sua morte. A China que ele uniu, porém, ainda existe 22 séculos depois.

Qin Shihuang,
primeiro imperador
da dinastia Qin,
*ilustração, séc. XIX,
Biblioteca Britânica*

HERODES, O GRANDE
TÍTERE DO IMPÉRIO

73-4 A.C. | **REI DA JUDEIA**

Nascido na Palestina em 73 a.C., Herodes era filho de Antípatro, que foi nomeado procurador da Judeia em 47 a.C. por Júlio César como recompensa pelo apoio dado ao lado vencedor na guerra civil contra Pompeu. Isso deu a toda a sua família a cidadania romana. Antípatro nomeou seu filho de 16 anos governador da Galileia, onde Herodes lançou uma campanha impopular contra bandidos locais.

O assassinato de Júlio César, em 44 a.C., mergulhou o Império Romano novamente na guerra civil e deixou Antípatro e Herodes com pouco dinheiro. Os tributos que eles impuseram causaram uma insurreição na qual Antípatro foi morto. Herodes esmagou a rebelião e matou o assassino de seu pai. Tendo convencido Marco Antônio de que as províncias orientais o haviam apoiado contra Cássio e Bruto, Herodes foi recompensado com a indicação para o cargo de tetrarca da Galileia, e seu irmão Fasael tornou-se Tetrarca de Jerusalém.

Em 40 a.C., uma insurreição antirromana obrigou Herodes a fugir. Em Roma, ele conseguiu assegurar o apoio do Senado e, em 30 a.C., retornou à Palestina à frente de um exército romano, capturando Jerusalém. O inimigo fugiu para as colinas. Herodes o perseguiu, abatendo indiscriminadamente homens, mulheres e crianças.

De volta ao trono, Herodes empreendeu um vasto programa de construção e cunhou moedas com o seu rosto. Ele quase foi derrubado devido a seu apoio a Antônio e Cleópatra na luta contra Otaviano, mas mudou de lado quando ficou evidente que estava apoiando o lado perdedor. Para isso, navegou até Rodes para encontrar Otaviano. Num discurso brilhante, proclamou sua lealdade a Antônio, e depois fez o mesmo para com o novo governante de Roma.

Otaviano o confirmou como rei da Judeia; estava claro que Herodes seria um aliado útil, se Otaviano tivesse de perseguir Antônio e Cleópatra até o Egito. Quando Otaviano se tornou o imperador Augusto, ele recompensou Herodes dando-lhe jurisdição sobre Jericó e Gaza.

Herodes governou sem contestação por 32 anos. Ele reconstruiu Jerusalém após um terremoto em 31 a.C. Os altos impostos tornaram-no extremamente impopular. Os fariseus o condenaram por sucessivas violações da Lei Mosaica. Ele era visto como um títere de Augusto, que havia ofendido os judeus ao ordenar sacrifícios duas vezes por dia em louvor de Roma e do Senado.

Os judeus acreditavam também que Herodes, um pagão, estava violando seus túmulos e roubando ouro da tumba do rei Davi. Para permanecer no poder, ele empregou uma polícia secreta.

Com o passar do tempo, Herodes tornou-se cada vez mais instável mentalmente. Ele assassinou sua segunda mulher, Mariana, os dois filhos dela e toda a família. Mandou matar também seu filho mais velho, Antípatro, o que levou Augusto a observar que era preferível ser um porco (*hus*) de Herodes do que seu filho (*huios*).

Em 8 a.C., o mosteiro de Qumran, lar da seita dos essenios, foi destruído num incêndio que muitos acreditaram ter sido iniciado por Herodes. Mais para o fim de seu reinado, estudiosos judeus anunciaram que 76 gerações haviam se sucedido desde a Criação; era bem conhecido que o Messias nasceria na 77ª geração.

Herodes teria ordenado a morte de meninos com menos de 2 anos de idade

Massacre dos inocentes, *óleo sobre tela*, Guido Reni, 1611

Segundo o Evangelho de São Mateus, Herodes ordenou a morte de todos os meninos de 2 anos para baixo, depois de ouvir que uma criança do sexo masculino nascida em Belém estava sendo homenageada como rei dos judeus. Essa é, porém, a única fonte da história.

Depois de uma tentativa fracassada de suicídio, Herodes morreu em Jericó em 4 a.C. Seu reino foi dividido entre os filhos sobreviventes.

AUGUSTO
TIRANO DEIFICADO

63 A.C.-14 D.C. | **PRIMEIRO IMPERADOR DE ROMA**

Augusto César foi o primeiro imperador de Roma. Ele buscou impiedosamente o poder absoluto e procurou expandir seu império, de modo que governasse a totalidade do mundo conhecido.

Filho de um senador romano, recebeu o nome de Caio Otávio. Otaviano, como ele era conhecido, chamou a atenção do público aos 12 anos, quando fez a oração no funeral de sua avó Júlia, irmã de Júlio César. Aos 17 anos, ele acompanhou César no seu triunfo, após a vitória na África e, no ano seguinte, lutou ao lado dele na Espanha.

Otaviano estava na escola militar em Apolônia (Albânia) quando César foi assassinado. Juntamente com seu colega de escola Agripa, ele retornou à Itália, onde descobriu que César havia feito dele o seu herdeiro antes de morrer. Mas o principal auxiliar de César, Marco Antônio, acreditava ser ele próprio o sucessor de César e se recusou à entregar a Otaviano os bens do ditador.

O jovem fez então uma campanha para chegar ao poder. Primeiro conseguiu dinheiro para pagar as dívidas de César, depois, conquistou a simpatia do público romano organizando jogos. Com o apoio do Senado, ele juntou-se à campanha militar contra Antônio, que foi derrotado e obrigado a retirar-se para a Gália. Otaviano então pressionou com suas tropas o Senado, que teve de nomeá-lo para um consulado que estava vago. A essa altura ele estava se chamando de Caio Júlio César e era reconhecido como o filho de César.

Otaviano formou em seguida um triunvirato com Marco Antônio e Lépido, o novo sacerdote supremo, que era partidário de César. O órgão recebeu poderes ditatoriais durante cinco anos; os inimigos dos triúnviros – incluindo 300 senadores – foram impiedosamente expurgados.

Exércitos comandados por Antônio e Otaviano cruzaram o Adriático para enfrentar Bruto e Cássio, os principais assassinos de César. Antônio derrotou Cássio, enquanto Otaviano perdia para Bruto.

Estátua Augusto de Prima Porta, mármore, séc. I, Museu Chiaramonti, Vaticano

Mas as forças combinadas de Antônio e Otaviano venceram Bruto três semanas depois. A causa republicana estava perdida; Bruto e Cássio cometeram suicídio. Antônio retornou para a Gália, mas Otaviano derrotou seu irmão e sua esposa, Fúlvia, na chamada Guerra de Perúgia. Antônio fez então novo acordo com Otaviano, dividindo o Império Romano entre os dois e limitando à África o território de Lépido.

Para selar o acordo com Otaviano, Antônio teve de desposar a irmã de Otaviano, Otávia – embora tivesse passado o inverno com a rainha do Egito, Cleópatra.

Enquanto isso, Otaviano passou a controlar o território remanescente de Lépido. Ele era agora era senhor de todo o Ocidente. Suas vitórias no exterior e algumas obras públicas tornaram-no popular entre os romanos.

Quando Antônio se divorciou de Otávia para desposar Cleópatra, Otaviano declarou guerra ao Egito. Ele venceu as forças combinadas de Antônio e Cleópatra numa batalha naval na altura de Ácio, na costa da Grécia. Otaviano perseguiu os dois até o Egito, onde ambos cometeram suicídio. Ele executou o filho de Cleópatra com Júlio César, Ptolomeu XV César, e usou o tesouro da rainha para pagar suas tropas. Otaviano anexou em seguida o Egito, tornando-se senhor do mundo greco-romano. De volta a Roma, ele estabeleceu a Guarda Pretoriana para conservar o controle absoluto.

O Senado o nomeou imperador em 27 a.C. e lhe deu o título de "Augusto", isto é, "Divino". Ele estendeu seu império à Armênia, Espanha, Suíça, Áustria e Alemanha.

Em 12 a.C., Augusto tornou-se *pontifex maximus*, chefe da religião do Estado, e em 2 a.C. recebeu o cognome de "Pai da Pátria". Em 6 d.C., ele anexou a Judeia. Augusto morreu em 19 de agosto do ano 14, e em 17 de setembro foi proclamado deus.

CALÍGULA
A LOUCURA NO PODER

12-41 IMPERADOR DE ROMA

Chamado Caio Júlio César Germânico, Calígula foi criado no acampamento militar de seu pai, Germânico, e recebeu seu apelido – "Botinhas" – devido ao calçado do exército que usava na infância. Seu pai morreu no ano 19, e sua mãe e dois irmãos mais velhos foram executados pelo imperador Tibério, mas Calígula conseguiu cair nas boas graças de Tibério, indo morar com ele em Capri. Tibério disse de Calígula que "ninguém poderia ser um escravo melhor, ou um senhor pior".

Calígula desposou a filha de um nobre com a expectativa de que isso ampliaria suas chances de suceder Tibério. Contudo, depois de ter perdido sua primeira esposa, Calígula seduziu a mulher de Névio Sutório Macro, comandante da Guarda Pretoriana, prometendo desposá-la caso se tornasse imperador, enquanto, ao mesmo tempo, se esforçava para obter o apoio de Macro.

Segundo Suetônio, Calígula envenenou Tibério. Como o veneno não matasse de imediato o imperador, ele sufocou-o com um travesseiro ou o estrangulou, conforme a fonte que se consulte.

A população de Roma não ficou triste em ver o fim de Tibério. Além disso, Calígula era uma figura popular: seu pai era lembrado com afeição e o massacre de sua família lhe valera simpatias. Ele era, também, o primeiro descendente direto de Augusto a subir ao trono.

Mas, sete meses depois de sua ascensão ao poder, Calígula adoeceu, e a febre parece ter afetado o seu cérebro. Calígula começou a temer o crescente poder de Macro, o prefeito da Guarda Pretoriana que o havia ajudado a subir ao trono. Depois de tê-lo enviado ao Egito, sob o pretexto de nomeá-lo governador da província, Calígula fez com que fosse preso e executado.

Meses depois morreu Drusila, a irmã favorita de Calígula, com quem ele tivera um relacionamento incestuoso desde a infância. Ele anunciou um período de luto público, durante o qual se tornou uma ofensa capital rir, tomar banho ou fazer refeições com os membros da própria família.

Calígula cunhou moedas em homenagem a Drusila e fez com que fosse deificada. Após o luto, o imperador, negligenciando a administração do império, passou a gastar descontroladamente em jogos, banquetes e festas públicas. Os convidados nos jantares encontravam ouro moldado na forma de comida nos pratos diante deles. Calígula dissolvia pérolas valiosas em vinagre e bebia a mistura. Em seis meses, ele dissipou a vasta fortuna que Tibério deixara.

Para conseguir dinheiro, Calígula iniciou uma rodada de julgamentos por traição (os condenados perdiam seus bens para o Estado). Em uma só tarde, ele teria condenado 40 homens. A cidadania romana de muitos

Cabeça de Calígula, mármore, Museu Ny Carlsberg Glyptotek, Copenhague, Dinamarca

patrícios foi revogada. Outros eram forçados a designá-lo como herdeiro, antes de serem envenenados. Calígula também vendeu pessoalmente propriedades públicas. Senadores foram simplesmente obrigados a comprá-las a preços que não podiam pagar.

Calígula mandava executar pessoas por pouco ou nenhum motivo. O próprio irmão foi morto, sem maiores explicações. Senadores eram executados secretamente, apenas se anunciando que haviam cometido suicídio.

Conta-se que seu tio Cláudio só foi poupado por ser considerado objeto de riso. Os criminosos eram lançados aos leões, sob a alegação de que isso custava menos do que a carne dos açougues.

Após uma competição de oratória, ele forçou os perdedores a limpar com a língua suas tabuletas de cera, sob pena de morte.

No entanto, a história de que ele nomeou seu cavalo para o consulado provavelmente não tem fundamento, embora um deles tivesse recebido uma casa com móveis e empregados e toda a vizinhança recebesse ordem de permanecer em silêncio para que o animal pudesse dormir.

Calígula tinha relações sexuais com qualquer homem ou mulher que lhe agradasse: uma recusa do ou da "amante" teria sido imprudente.

Essas amantes incluíam Cesônia, que não era nem bela nem jovem e tinha três filhos. Ela podia ser vista cavalgando ao lado dele com uma capa e capacete e portando um escudo. Ele gostava de exibi-la nua para os amigos.

Quando ela teve um filho, ele a desposou, embora Cesônia fosse notoriamente promíscua. O comportamento de Calígula tornou-se cada vez mais prejudicial à boa administração da cidade. Ele fechava os celeiros para que o povo passasse fome, ou lançava ingressos gratuitos para o circo em meio à multidão, provocando tumultos nos quais muitos morriam.

Homens de posição eram marcados a ferro e trancados em jaulas como animais. Calígula ordenava torturas ou decapitações como diversão enquanto estava comendo.

Ele matou pessoas com uma clava por perturbá-lo nos jogos e golpeou com martelo vítimas dos sacrifícios nos templos até matá-las.

No ano 38, Calígula invadiu e saqueou a Gália e planejou invadir a Grã-Bretanha, chegando a ter trirremes transportadas de Roma por terra para cruzar o canal da Mancha. Mas, quando chegou ao canal, ele se contentou em ordenar que seus homens coletassem moluscos na praia, chamando-os de espólio do oceano conquistado.

Antes de retornar a Roma, ele tentou massacrar as próprias legiões, ordenando que se reunissem sem armas. Quando os soldados perceberam o que estava acontecendo, Calígula teve de fugir. Apesar disso, entrou em Roma em triunfo.

Para financiar sua dívida, impôs novos tributos sobre alimentos, processos judiciais, casamentos e sobre os ganhos das prostitutas – até mesmo aquelas que ele próprio havia prostituído, já que ele organizou um bordel em seu palácio e forçou mulheres à prostituição.

Mais tarde, ele passou ao confisco puro e simples, queixando-se de ser tão pobre que não podia conceder um dote à sua filha de poucos meses.

Calígula tinha pretensões à divindade e construiu templos e estátuas para si próprio. Estátuas de outros romanos notáveis foram destruídas e até mesmo as de Augusto foram removidas. Ele declarou que os certificados de deificação de Júlio César e até o de Augusto eram velhos e ultrapassados. Cesônia dava drogas ao imperador para melhorar seu desempenho sexual, o que o tornou ainda mais instável mentalmente. Ele quis destruir os poemas de Homero e baniu das bibliotecas as obras de Virgílio.

Calígula vestia com frequência roupas de mulher ou se trajava como um deus, usando uma barba loura, ou como Vênus, ou ainda como um general triunfante, envergando a couraça de Alexandre, o Grande, que ele retirara de seu sarcófago. Mas ele causou escândalo, particularmente, ao subir ao palco do teatro com atores de um grupo mequetrefe.

Calígula estava em perigo, pois as legiões da Alemanha haviam se voltado contra ele. Em 24 de janeiro de 41, ele compareceu aos Jogos Palatinos, onde foi apunhalado pelo menos 30 vezes pelo tribuno da Guarda Pretoriana e outros conspiradores de alto escalão. Enquanto se retorcia no solo, ele foi liquidado, conta-se, por um golpe de espada na virilha. Sua mulher, Cesônia, foi apunhalada até a morte, e sua filha teve o cérebro despedaçado contra uma parede. Calígula tinha apenas 29 anos e havia reinado menos de quatro.

AGRIPINA
SEDE DE PODER

15-59 — **"IMPERATRIZ" DE ROMA**

Agripina, a Jovem, era bisneta do imperador romano Augusto e irmã do imperador Calígula. No ano 39, Calígula exilou-a por conspirar contra ele, mas permitiu-lhe voltar a Roma dois anos depois. Em 49, Agripina viu sua grande oportunidade, e a aproveitou. Envenenando o segundo marido, Passieno Crispo, ela desposou seu tio, o imperador Cláudio, então um homem idoso e fraco, e assumiu o controle.

Agripina logo pressionou Cláudio para que adotasse seu filho, Nero, e fortaleceu a posição deste casando-o com Otávia, filha de Cláudio. Paralelamente, envenenou todos os rivais potenciais. É bastante provável que também tenha assassinado Cláudio, que morreu em 54 depois de ter comido cogumelos envenenados, e também Britânico, filho e herdeiro do imperador. Nero assumiu o trono, mas Agripina conservou o poder como regente, assumindo o título de Augusta, que significa "divina", "imperatriz".

Nero logo compreendeu que não estava a salvo da sede de poder da mãe. Ele tentou envenená-la três vezes. Depois, enviou-a à baía de Nápoles a bordo de um navio que deveria afundar, mas ela nadou até o litoral.

Nero terminou por mandar soldados à *villa* de Agripina, que foi espancada até a morte.

Cabeça de Agripina, a jovem, *mármore*, 49-50, coleção do Museu Arqueológico de Milão

ARCHAEOLOGICAL MUSEUM, MILAN

NERO
DELÍRIO ROMANO

37-68 | **IMPERADOR DE ROMA**

Com a possível exceção de Calígula, Nero foi o mais desprezível dos tiranos que o Império Romano produziu. Sua mãe, Agripina, a Jovem, mudou o nome do filho, Lúcio Domício Aenobarbo, para Nero Cláudio César quando se casou com seu tio, o imperador Cláudio. Quando Cláudio morreu, no ano 54, Nero, aos 17 anos, foi proclamado imperador pelo Senado e pela Guarda Pretoriana. Agripina, porém, conservou o poder como regente. No ano 59, depois de várias tentativas fracassadas, Nero a assassinou. Em 62, o prefeito da Guarda Pretoriana, Sexto Afrânio Burro morreu (suspeitas recaíram sobre o próprio Nero), e o filósofo estoico Lúcio Aneu Sêneca se afastou. Eles tinham sido seus conselheiros mais próximos e exerciam uma influência moderadora sobre o imperador.

Foram substituídos pelo famigerado Tigelino, exilado em 39 por Calígula por adultério com Agripina; na ocasião, Nero já estava sob a influência de Popeia Sabina, ex-mulher de dois de seus amigos, que havia se tornado sua amante em 58. Popeia encorajou Nero a assassinar sua mulher, Otávia, e em 62 Nero casou-se com ela. Por instigação de Tigelino, uma série de leis sobre traição afastou quem fosse considerado uma ameaça a Nero.

Paralelamente, derrotas militares abriram caminho para uma recessão econômica, enquanto Nero e sua mulher viviam num estilo extravagante.

No ano 64, um incêndio deixou boa parte de Roma em ruínas. Embora o próprio Nero comandasse o combate ao incêndio, suas inclinações artísticas eram bem conhecidas, e houve rumores de que ele cantava ou tocava a lira enquanto observava a cidade queimar.

Ouviram-se também boatos de que ele próprio havia iniciado o incêndio para abrir caminho para um palácio extravagante chamado de Casa Dourada, construído num momento em que a reconstrução pública deveria ser prioridade.

O incêndio tornou-se ainda um pretexto para a primeira perseguição à seita recém-emergente dos cristãos. No ano 65, Nero se apresentou no palco e cantou para grandes plateias. Isso era o equivalente de um presidente contemporâneo dos Estados Unidos participar de uma competição de luta na lama, e os conservadores romanos ficaram chocados e ultrajados.

Quando foi descoberta uma conspiração para assassinar Nero e substituí-lo pelo senador Caio Calpúrnio Pisão, entre os conspiradores obrigados a cometer suicídio estava Sêneca, ex-mentor de Nero.

No ano 67, com Roma em crise, Nero fez uma extravagante viagem pela Grécia. Cada vez mais delirante, ele ordenou que o popular e vitorioso general Gneu Domício Córbulo cometesse suicídio. Temendo por suas vidas, os governadores das províncias romanas se rebelaram.

Conta-se que a resposta de Nero à rebelião foi: "Tenho apenas de me apresentar e cantar para mais uma vez haver paz na Gália".

Cabeça de Nero, mármore, século XVII, Museus Capitolinos, Roma

As legiões proclamaram Sérvio Sulpício Galba, governador da Espanha, imperador. O Senado em seguida condenou Nero a ter uma morte de escravo, sendo chicoteado e crucificado. Existem duas versões para o seu fim.

No relato de Suetônio, ele se apunhalou na garganta com uma adaga em 9 de junho de 68. Por outro lado, Tácito registra que Nero chegou às ilhas gregas disfarçado como um profeta de cabelos ruivos e líder dos pobres. O governador de Citnos o prendeu em 69 e executou a sentença do Senado. Seja como for, Nero teve um fim prematuro como resultado direto de sua tirania.

DOMICIANO
"SENHOR E DEUS"

51-96 — IMPERADOR DE ROMA

Quando Vespasiano, pai de Domiciano, se rebelou contra o imperador romano Vitélio, o filho, que na época tinha 18 anos, permaneceu em Roma. Quando Vitélio morreu, Domiciano foi saudado como César, mas logo depois Vespasiano retornou à cidade e assumiu o poder. Ele morreu em 79 e foi sucedido por Tito, o popular irmão mais velho de Domiciano, que, com isso, perdeu até mesmo os modestos poderes que exercia sob o comando do pai.

Dois anos depois, no entanto, Tito morreu repentinamente, em meio a rumores de que Domiciano havia apressado a sua morte, um caminho nada incomum para a sucessão imperial em Roma.

Domiciano subiu ao trono e logo se tornou impopular por usar o uniforme de um general triunfante, algo a que não tinha direito, e insistir em ser chamado de "senhor e deus".

No ano 83, ele ordenou a execução de três virgens vestais pela quebra dos votos de castidade, embora ele próprio fosse sexualmente promíscuo. Isso tinha sido uma prática comum no passado, mas no tempo de Domiciano já era visto como um ato bárbaro. No ano 90, ele mandou emparedar viva a chefe das vestais, Cornélia, e executar seus supostos amantes. Virgens vestais parecem ter sido um alvo todo especial para ele.

Em 85, Domiciano declarou-se "censor perpétuo" (os censores romanos eram responsáveis, entre outras coisas, pela manutenção da moralidade) e estabeleceu controle absoluto sobre o Senado. O exército na Alta Germânia sublevou-se e, embora a rebelião tenha sido sufocada, deixou Domiciano paranoico. Ele impôs pesados tributos e começou a perseguir os judeus.

O cônsul Flávio Clemente e seus dois filhos, que estavam na linha sucessória do trono, foram mortos. Finalmente, a mulher de Domiciano e aqueles mais próximos a ele contrataram um assassino e, num combate corpo a corpo, tanto o imperador quanto o assassino foram mortos.

Domiciano, mármore, cabeça do século I e busto do século XVIII, Museu do Louvre

ÁTILA
O FLAGELO DE DEUS

C. 406–453 REI DOS HUNOS

O agressivo e ambicioso chefe dos nômades hunos era conhecido em sua época como "o flagelo de Deus" por sua selvageria. Ele próprio declarou: "Por onde eu passo, a grama não crescerá outra vez".

Pouco se conhece da fase inicial de sua vida, mas, em 434, ele e seu irmão Bleda herdaram do tio Ruga, que tinha um tratado com Roma, um império que se estendia dos Alpes até o Báltico. Átila e Bleda renovaram o tratado, elevando para 700 libras de ouro por ano o tributo que Roma tinha de pagar pela paz.

Os hunos voltaram-se para o leste, expandindo suas conquistas pela Cítia, a Média e a Pérsia.

Átila, rei dos hunos, ilustração, Michael Wolgemut e Wilhelm Pleydenwurff, Crônicas de Nuremberg, c. 1490

Mas em 439, quando o Império Romano do Oriente deixou de pagar o tributo, Átila atacou, arrasando Singidunum (Belgrado) e outras cidades dos Bálcãs. Uma trégua permitiu que os romanos se reagrupassem, mas em 443 Átila prosseguiu para destruir Naissus (Nis, na Sérvia) e Sérdica (Sófia, na Bulgária).

O ataque a Naissus devastou a tal ponto o lugar que, quando embaixadores romanos passaram por ali para se encontrar com Átila oito anos depois, disseram que acamparam num rio que tinha a margem coberta por ossos humanos.

Os hunos alcançaram as proximidades dos muros de Constantinopla e derrotaram os romanos. Teodósio II, imperador do Oriente, teve de pagar tributos vencidos de 6 mil libras de ouro e mais 2.100 libras por ano.

Em 445, Átila assassinou seu irmão e tornou-se o único líder huno. Ele devastou novamente os Bálcãs em 447. Como teria sido inútil sitiar Constantinopla com arqueiros a cavalo, seguiu para a Grécia, ao sul, mas foi detido nas Termópilas.

Um cronista escreveu: "Houve tanta morte e derramamento de sangue que ninguém conseguia contar os mortos. Os hunos pilharam igrejas e mosteiros, mataram os monges e as virgens…".

Um novo tratado foi firmado com o Império do Oriente em 449, cedendo território aos hunos, e Átila voltou a atenção para o Império Romano do Ocidente. Sua desculpa para romper o tratado existente foi que Honória, irmã do imperador Valentiniano, havia lhe enviado um anel. Ela estava tendo um caso com um mordomo, Eugênio, que foi executado para que sua mão fosse concedida a Herculano. Grávida, ela implorou ao rei dos hunos que a libertasse. Mas ele considerou o anel uma oferta de casamento e pediu como dote metade do império do Ocidente!

Na primavera de 451, Átila forjou uma aliança com os francos e os vândalos e lançou um ataque ao coração da Europa ocidental.

Em abril, ele conquistou Metz com um exército composto por algo entre 300 mil a 700 mil homens. Rheims, Mogúncia, Estrasburgo, Colônia, Worms e Tréveris foram destruídas. Ele estava sitiando Orléans, quando foi abordado por um exército romano comandado por Flávio Aécio, apoiado pelas forças do rei visigodo Teodorico.

Na sangrenta Batalha dos Campos Cataláunicos, Teodorico foi morto, porém Flávio Aécio infligiu a Átila sua única derrota – alguns historiadores militares dizem que foi um "empate técnico".

Em vez de bater em retirada, o rei huno agrupou suas forças e invadiu a Itália no ano seguinte, saqueando Aquileia, Milão, Verona e outras cidades. Os sobreviventes fugiram para um grupo de ilhas defensáveis no Adriático, onde fundaram Veneza.

Conta-se que Átila recuou diante das portas de Roma porque ficou impressionado com a santidade do papa Leão I, que saiu da cidade para negociar com o bárbaro. Na verdade, na ocasião havia doença e fome naquela área, o que abatia as hordas e, além disso, Átila pode ter temido o retorno das legiões romanas que estavam lutando no estrangeiro para socorrer a cidade.

Com a sua pilhagem, os hunos voltaram para o norte. No caminho Átila, aos 47 anos, desposou uma jovem chamada Íldico. Depois de ter bebido muito no dia do casamento, ele foi para a cama com a jovem noiva. Na manhã seguinte, foi encontrado morto, afogado no sangue de um sangramento do nariz.

FREDEGUNDA
RIVALIDADE E MORTE

MORREU EM 595 | **RAINHA DOS FRANCOS**

Originariamente uma jovem serviçal na corte dos francos, ela atraiu o olhar de Chilperico I, que assassinou sua mulher, Galswintha, e fez de Fredegunda sua terceira esposa e rainha da Neustria. Contudo, Galswintha era irmã de Brunhilda, mulher de Sigeberto, meio-irmão de Chilperico e rei da vizinha Austrásia. Isso iniciou um conflito entre Fredegunda e Brunhilda que se estendeu por 40 anos.

Fredegunda fez com que assassinassem Sigeberto em 575 e completou isso com a morte dos próprios enteados. Ela tentou assassinar também Childeberto II, filho de Sigeberto, Brunhilda e seu cunhado Guntram, rei da Borgonha.

Em 584, quando Chilperico foi misteriosamente assassinado, Fredegunda reuniu suas riquezas e fugiu para Paris com seu filho Clotário II, convencendo, daquela distância segura, os nobres a reconhecer seu filho como herdeiro. Ela assumiu a regência e os dois prosseguiram com as intrigas contra Brunhilda até o momento de sua morte, no ano 595.

Fredegunda tenta matar a filha Rigunth, gravura, livro Vieilles Histoires de La Patrie, *1887, Henriette De Witt*

PARTE II
A IDADE MÉDIA

Imperatriz Wu retratada em álbum de imperadores da China, *ilustração, anônimo, séc. XVIII*

WU HOU
DA CAMA AO TRONO

625-705 — **IMPERATRIZ DA CHINA**

Aos 13 anos, Wu Hou tornou-se concubina do primeiro imperador Tang da China, T'ai Tsung. Com a sua morte, em 649, ela transferiu as afeições para o seu herdeiro Kao Tsung, passando a ser a favorita. Assassinou as outras concubinas e mulheres – incluindo a imperatriz – e tornou-se ela própria imperatriz em 655.

Wu Hou começou então a exercer influência no governo, eliminando os que criticavam seu relacionamento com o imperador. Numerosos homens de Estado já idosos – entre eles o tio do imperador – foram executados ou exilados. Por volta de 660, com o imperador doente, ela estava com controle completo.

Nomeava e demitia ministros e escolheu cuidadosamente os comandantes militares que invadiram a Coreia, por sua ordem, em 660 e 668. Kao Tsung morreu em 683, sendo sucedido por Chung Tsung, filho de Wu Hou. Em apenas um mês, ela fez com que ele fosse deposto e exilado, colocando no trono seu segundo filho, Jui Tsung, mas governando ela própria, como regente. Uma revolta em favor de Chung Tsung foi esmagada.

Em 690, Wu Hou usurpou formalmente o trono, governando pelos 15 anos seguintes. Mas dois cortesãos depravados, os irmãos Chang, tornaram-se favoritos, o que ultrajou ministros e generais. Em 705, houve um golpe palaciano: os Chang foram executados e a imperatriz, forçada a entregar o poder a seu filho Chung Tsung. Aos 80 anos, ela retirou-se para o seu palácio de verão, morrendo pouco depois.

HARUN-AL-RASHID
MIL E UMA NOITES DE TERROR

763-809 CALIFA DE BAGDÁ

Harun-al-Rashid era conhecido como um homem generoso antes de chegar ao poder como califa de Bagdá, em 786. Mas era também um fanático por lutas de galos e de cães. Sofrendo de insônia, ele percorria disfarçado as ruas à noite com um carrasco a seu lado, para o caso de querer ordenar a morte de alguém.

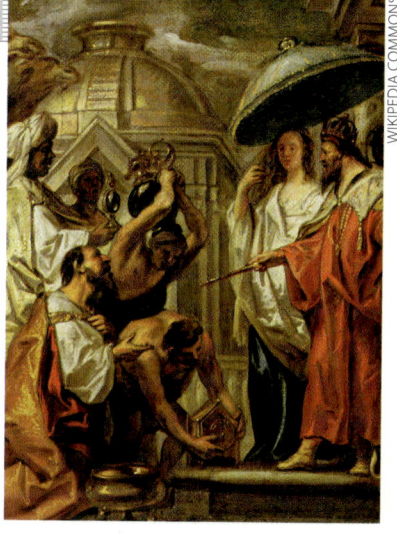

Harun fora criado por Yahya Barmakid, que se tornou seu principal ministro. Mas ele romperia com seu melhor amigo, Jafar, filho de Yahya, possivelmente devido a um ciúme homossexual. Conta-se também que Harun tinha promovido o casamento secreto de Jafar com a sua irmã, sob a condição de que ele não o consumasse. Quando os dois se apaixonaram e tiveram um filho, Harun ordenou a morte de toda a família Barmakid, incluindo os ramos mais distantes.

Depois de ter atacado o Império Bizantino, Harun dirigiu-se para o leste a fim de sufocar uma revolta no Irã. Durante a campanha, ele adoeceu. O irmão capturado do chefe rebelde foi levado a seu leito de morte; as últimas palavras de Harun teriam sido: "Se me restar o fôlego para dizer uma única palavra será: 'Matem-no'".

Harun permaneceu muito popular no mundo árabe, basicamente por ter feito de Bagdá uma metrópole mundial. Muitas das histórias do Livro das *Mil e uma noites* dizem respeito a ele.

A homenagem do Califa Harun-al-Rashid para Carlos Magno, detalhe, óleo sobre tela, J. & Utrecht e Jordaens, séc. XVII

SANTA OLGA
ANTES DA CONVERSÃO, A VINGANÇA

890-969 REGENTE DA RÚSSIA

Olga começou a vida transportando pessoas numa balsa através de um rio perto de Moscou. Ela era muito bonita e atraiu a atenção do príncipe Igor de Kiev, que a desposou. Quando ele foi assassinado pelos súditos, em 945, por impor tributos excessivos, seu filho Svyatoslav subiu ao trono, tendo Olga como regente: a primeira mulher a governar a Rússia. Ela vingou-se dos assassinos do marido, mergulhando-os em água fervente até a morte; centenas de seus seguidores foram executados.

Em 957, Olga converteu-se ao cristianismo, sendo batizada em Constantinopla. Ela tentou converter outros russos e, após sua morte, em 969, foi canonizada.

Na primavera de 1206, Gêngis Khan subiu ao trono na região do rio Onon, manuscrito, Sayf al-Váhidi, 1430

GÊNGIS KHAN
TIRANIA ENCARNADA

1162?-1227   **GOVERNANTE DOS MONGÓIS**

"Eu cometi muitos atos de crueldade e mandei matar um número incalculável de homens, sem jamais saber se o que eu fazia estava certo. Mas não me importo com o que pensam de mim." Assim falou Gênghis Khan. Ao morrer, em 1227, ele havia sido responsável pela morte de aproximadamente 20 milhões de pessoas, cerca de um décimo da população do mundo conhecido em sua época.

"Tirano dos tiranos", ele começou sua carreira assassina aos 12 anos, quando matou o irmão numa disputa por um peixe. Aos 33 anos, havia se tornado o líder indiscutível das hordas mongóis – e adotou o nome de Gêngis Khan, que significa "governante universal". Em 1211, iniciou sua conquista da China imperial, queimando e saqueando toda localidade em seu caminho. Em 1212, o xá Mohammed organizou um golpe de Estado e tornou-se o governante do vizinho império muçulmano de Khwarezm, que abrangia o Irã, Afeganistão, Turcomenistão, Usbequistão e Tajiquistão. Ansioso em manter boas relações com Khwarezm, Gêngis enviou ao xá uma caravana que transportava delicadas peças de jade e marfim, barras de ouro e feltro feito do melhor pelo branco de camelo. Os 300 caravaneiros eram acompanhados por um nobre mongol que levava uma mensagem do Khan.

Ela dizia: "Conheço o seu poder e a vasta extensão de seu império. Tenho o mais profundo desejo de viver em paz com você. Eu o considerarei meu filho. De sua parte, você deve saber que conquistei o Reino do Meio e subjuguei todas as tribos do norte.

"Você sabe que meu país é um enxame de guerreiros, uma mina de prata, e que não tenho necessidade de cobiçar novos domínios. Temos o mesmo interesse em estimular o comércio entre nossos súditos."

O xá ficou um pouco desconfiado da mensagem.

Ele aceitou os presentes, mas enviou o mensageiro de volta sem uma resposta. Gêngis Khan mandou uma segunda caravana, dessa vez com 500 camelos carregados com peles de castor e zibelina.

Com ela seguiu Uquna, funcionário da corte mongol. Na cidade fronteiriça de Otrar, o governador local mandou esquartejar 100 dos caravaneiros – entre eles Uquna – e confiscou a carga. Gêngis recorreu mais uma vez à diplomacia e enviou um novo emissário, dessa vez um muçulmano. O xá o executou e a comitiva retornou com as cabeças raspadas. Num insulto final, ele confirmou no cargo o governador assassino de Otrar.

Só poderia haver uma resposta. No verão de 1219, Gêngis Khan reuniu entre 150 mil e 200 mil cavaleiros. Muitos eram veteranos das lutas pela conquista da China. Com seus cavaleiros, seus melhores generais, seus quatro filhos e uma de suas mulheres – Qulan, que significa "jumenta" –, Gêngis Khan partiu para a guerra.

O exército do xá Mohammed utrapassava facilmente em número o de Gêngis Khan. Mas o xá não sabia onde os mongóis atacariam, então dispôs seus homens ao longo de toda a fronteira, um erro clássico do ponto de vista militar. A longa linha das tropas de Mohammed era tão tênue que onde quer que os mongóis atacassem eles venceriam.

Onde Gêngis Khan atacaria? Em Otrar, é claro. Graças ao uso de engenhos de sítio capturados dos chineses, e também ao conhecimento chinês da pólvora, a cidade murada de Otrar logo foi tomada e seus infelizes habitantes sofreram os horrores habituais, entre eles o governador, que foi executado tendo prata fundida derramada nas orelhas e entre as pálpebras.

As cidades de Khwarezm continuaram a cair, e os mongóis logo alcançaram a cidade santa de Bucara, famosa pela tecelagem de tapetes. Quando os mongóis atacaram, a guarnição turca tentou escapar, mas todos foram caçados e abatidos. Os prisioneiros dos mongóis foram enviados para derrubar os portões, e catapultas abalaram as defesas.

Gêngis Khan entrou na cidade e seus últimos defensores foram executados. Os habitantes foram alinhados e receberam ordem de partir. Aqueles que permaneceram na cidade foram apunhalados até a morte.

Gêngis Khan cavalgou até a grande mesquita, acreditando ser o palácio do xá. Livros sagrados corânicos foram jogados ao pó. Centenas de muçulmanos devotos mataram-se para não se submeter aos bárbaros invasores. Homens matavam suas mulheres para que os mongóis não as estuprassem. Entre os que morreram estava o imã da Grande Mesquita.

"Foi um dia calamitoso", disse um historiador muçulmano. "Nada se escutava senão o choro de homens, mulheres e crianças, separados para sempre, enquanto as tropas mongóis dividiam a população escravizada entre si."

A Gêngis Khan foram atribuídas estas palavras: "Digo-lhes que sou o flagelo de Alá, e, se não tivessem sido grandes pecadores, Alá não teria feito minha ira recair sobre suas cabeças".

A cidade foi em seguida queimada até o chão. Por dezenas de anos, Bucara permaneceria desabitada. Gêngis Khan voltou-se então para Samarcanda, com um exército de prisioneiros, forçados a trabalhar como escravos para destruir o próprio país. Samarcanda já era antiga quando Alexandre, o Grande, a conquistou em 329 a.C.

No século XIII, era um dos mais importantes centros comerciais do mundo. Enviava melões a Bagdá, em caixas de chumbo cheias de neve para conservá-los frescos.

Orgulhava-se de seus ourives, tanoeiros, entalhadores de madeira e fabricantes de espadas. Cotas de malha, jarras entalhadas e cerâmicas feitas ali eram vendidas nos portos do Mediterrâneo. Manufaturava-se até papel na cidade, usando-se técnica chinesa.

A cidade possuía uma numerosa guarnição, formada em sua maioria por mercenários turcos, e poucos de seus habitantes pensavam que ela teria o mesmo destino de Bucara.

Gêngis Khan também ficou impressionado com as defesas. Ao chegar, na primavera de 1220, acampou fora da cidade e aguardou reforços, enquanto dispunha uma cortina de tropas em torno dos muros. Quando dois de seus filhos chegaram com milhares de prisioneiros, eles decidiram que o melhor ardil seria impressionar o inimigo com os seus números. Eles vestiram os prisioneiros como mongóis. A seguir, sob estreita vigilância e com bandeiras mongóis flutuando, os conduziram em direção aos muros. A guarnição investiu contra os atacantes. Os mongóis pareceram fugir, deixando os prisioneiros desarmados para absorver o assalto, mas então voltaram e contra-atacaram, levando a melhor sobre os mercenários turcos. Os sobreviventes desertaram, deixando a cidade sem defesa.

Os líderes locais saíram para negociar. Cerca de 50 mil cidadãos compraram a liberdade mediante um resgate que totalizou 200 mil dinares. Os que eram pobres demais para pagar o resgate foram levados como trabalhadores escravos pelas unidades mongóis. Os artesãos foram encaminhados à Mongólia. Todos os que ficaram para trás foram abatidos. Depois de ter ficado vazia, Samarcanda foi saqueada. Parte da cidade foi incendiada, e Gêngis Khan considerou criminosos os mercenários turcos. Um cronista persa registrou que 30 mil foram massacrados. Conta-se que, quando aqueles que haviam pagado o resgate retornaram a Samarcanda, eram tão poucos que só conseguiram repovoar um quarto da cidade.

A capital de Khwarezm era Urgench, 300 milhas ao norte do mar de Aral. Também era defendida por mercenários turcos. Dessa vez, porém, eles estavam prontos.

Haviam armazenado cuidadosamente armas, víveres e água, preparando-se para um longo sítio.

Gêngis Khan encarregou três de seus filhos de tomar Urgench, apontando um deles, Jochi, como governante de Khwarezm, de modo que era de seu interesse não destruir completamente a cidade. Com eles estavam três dos mais experientes generais do xá e 50 mil cavaleiros.

Foi enviado um emissário que exigiu rendição incondicional. A proposta foi rejeitada, e o sítio começou. O sítio mongol durou 12 dias até o invasor penetrar os muros. Cientes do que aconteceria se fossem derrotados, os defensores lutaram de casa em casa.

Esse tipo de luta não agradava aos mongóis, acostumados a travar grandes batalhas em campo aberto; eles tiveram de pagar um preço alto. Depois de terem tomado metade da cidade, atacaram a ponte sobre o rio Amudar, que levava à outra metade, mas foram repelidos. Só esse choque custou aos mongóis 3 mil homens.

Os mercenários turcos prosseguiram com a firme defesa das ruínas da cidade, apoiados e abastecidos pelos habitantes remanescentes. Depois de sete dias, os mongóis perderam a paciência e incendiaram o restante de Urgench.

Os turcos foram forçados a recuar e centenas de civis morreram nas chamas. Finalmente, os membros do conselho da cidade indicaram que desejavam negociar. Um deles implorou aos mongóis que tivessem piedade dos bravos que haviam defendido a capital. "Vimos o poderio da sua ira; agora nos mostrem a medida da sua piedade", declarou. Mas os mongóis não estavam com disposição para a trégua.

"Todos lutaram", escreveu um historiador árabe, "homens, mulheres e crianças, e continuaram a lutar até que os mongóis tomaram a cidade inteira, mataram todos os habitantes, e pilharam tudo o que encontraram. Em seguida eles abriram a represa e as águas do rio inundaram a cidade e a destruíram completamente… E então nada permaneceu, exceto as ruínas e as ondas."

Gêngis Khan não ficou nada contente com a destruição da capital do xá Mohammed. O sítio de Urgench havia durado seis meses, com perdas mongóis muito mais altas do que ele estava acostumado. Seus filhos também incorreram na sua ira ao se apoderar de todo o butim, sem deixar nada para o pai.

Os generais do Khan perseguiram o xá Mohammed, cujas tropas desertaram em massa. Cidade após cidade caiu em poder dos mongóis até que todo o Khwarezm estava em suas mãos. Mohammed morreu de pleurisia às margens do mar Cáspio, no que é atualmente o Azerbaijão.

Gêngis Khan fez uma pausa no verão no oásis de Nasaf. Em seguida foi para Termez, ao norte. A cidade recusou-se a se render e ele a sitiou por sete dias. Quando ela caiu, seguiu-se o massacre costumeiro. Ele se dirigiu em seguida à antiga cidade de Balkh, capital do reino de Báctria, no que é hoje o norte do Afeganistão. Balkh era conhecida havia 3 mil anos. Alexandre a ocupara e desposara ali a princesa Roxane.

Mas, quando a cidade se rendeu a Gêngis Khan sob a garantia de que seus cidadãos não sofreriam danos, ele voltou atrás em sua promessa e fez executar milhares. Ao passar por ali novamente em 1222, massacrou os sobreviventes.

"Onde quer que houvesse uma parede ainda de pé, os mongóis a derrubavam", disse um historiador árabe, "e pela segunda vez varreram todos os traços de civilização da região."

Gêngis Khan poupou algumas cidades, mas, se houvesse o menor sinal de oposição, ele era impiedoso. Além de massacrar os habitantes, destruía sistemas de irrigação seculares. Muitos centros urbanos foram arrasados para sempre.

Em fevereiro de 1221, o quarto filho de Gêngis Khan, Tolui, e 70 mil cavaleiros chegaram a Merv, agora chamada Mary, no Turcomenistão. Era uma cidade rica, famosa pelas cerâmicas.

As fortificações eram especialmente impressionantes. Tolui e 500 cavaleiros passaram o dia inteiro inspecionando-as. Ele atacou a cidade duas vezes, sendo rechaçado. Mas o governador se rendeu, tendo recebido garantias de que todos seriam poupados.

Tolui não cumpriu sua palavra. Ele esvaziou a cidade e separou 400 artesãos e algumas crianças para conservar como escravos. O resto foi executado. Foi uma tarefa formidável. A população teve de ser dividida entre as unidades do exército.

Conta-se que cada soldado precisou matar de 300 a 400 pessoas. Uma fonte informou que Tolui deixou 700 mil cadáveres ali. Outra registrou que ele parou de contar depois de 1,3 milhão. Em Herat, após um sítio que durou oito dias, somente os mercenários foram massacrados. Mais tarde, porém, a população se revoltou, matando o governador mongol e o ministro residente do Khan. Como vingança, os mongóis abateram a população, depois se retiraram e esperaram.

Quando os sobreviventes emergiram das ruínas e os refugiados nas cavernas próximas retornaram, os mongóis os mataram. Uma fonte informa que houve 1,3 milhão de mortos; outra, 2,4 milhões. Contingentes mongóis foram enviados de volta a Merv e Balkh para abater quem quer que tivesse retornado às cidades arrasadas.

A seguinte na lista dos mongóis era Bamiyan, com seus gigantescos Budas escavados na rocha (os Budas sobreviveram a Gêngis Khan, para serem destruídos pelo Talibã afegão em 2002). Era a joia de Khwarezm, um ponto de parada na Rota da Seda e um centro cultural sem paralelo. Há narrativas de que a cidade foi traída pela princesa Lala Qatun, cujo pai estava tentando casá-la contra a sua vontade. Ela mandou informar que o suprimento de água podia ser desviado.

Contudo, durante o sítio, o neto do Khan foi morto. Ele ficou tão encolerizado com a perda que nem sequer parou para colocar o capacete antes de começar a massacrar o inimigo. O pai do rapaz estava ausente na ocasião. Quando ele voltou, Gêngis Khan perguntou se o filho estava pronto a cumprir qualquer ordem que ele lhe desse. O filho jurou que estava. "Bem", disse o Khan, "seu filho foi morto e ordeno que não o lamente."

Toda a população foi então massacrada. Até a princesa Lala Qatun, apedrejada até a morte por sua traição. Após a morte do xá Mohammed, o poder passou a seu filho, o príncipe Jalal a-Din. Com um exército de mercenários turcos e conscritos do Khwarezm de cerca de 60 mil homens, ele se refugiou numa fortaleza em Ghazi, 100 milhas ao sul de Cabul.

Os mongóis atacaram, mas, depois de ter perdido mil homens, tiveram de se retirar. O irmão adotivo do Khan estava encarregado do assalto. Tendo poucos homens, ele pensou que faria o príncipe Jalal acreditar que suas forças eram maiores do que realmente eram. Mas o ardil não funcionou. O príncipe atacou. Pela primeira vez em território muçulmano, os mongóis sofreram uma derrota. Há registros de que os soldados de Jalal superaram os mongóis em selvageria, cravando pregos nas orelhas dos prisioneiros.

Quando Gêngis Khan foi informado, ele reuniu tropas descansadas e cavalgou durante dois dias para chegar a Ghazi. Conta-se que eles nem sequer pararam para comer ou beber: no estilo mongol, faziam um corte no dorso de seus cavalos e, quando sentiam fome, alimentavam-se com sangue.

Pouco antes de alcançarem Ghazi, havia irrompido uma disputa entre os mercenários turcos e as tropas locais, e o príncipe Jalal vira-se forçado a retirar-se. As defesas da cidade foram destruídas e seus habitantes, deportados ou mortos. O príncipe terminou por encontrar refúgio com o sultão de Délhi. Gêngis Khan fez apenas uma breve incursão à Índia. Ele devastou algumas aldeias em torno de Lahore, mas voltou ao Khwarezm para examinar mais atentamente a terra que havia conquistado.

Enquanto isso, um general do Khan chamado Jebe havia avançado para o norte, até a Geórgia, onde derrotou a cavalaria georgiana, a mais poderosa da região. Em seguida entrou em território russo. Na Batalha de Kalka, os mongóis foram atacados por 80 mil cavaleiros sob o comando do príncipe Mstislav. Os mongóis, que somavam apenas 20 mil cavaleiros, usaram sua tática habitual. Depois de um curto engajamento, recuavam, aparentemente em desordem. O inimigo os perseguia a toda velocidade, o que dividia seu exército. Então, quando já superavam em número a força de avanço adversária, os mongóis se voltavam e lutavam.

Quando o resto do exército chegava, deparava-se com uma brutal cena de massacre, o que muitas vezes já fazia seus homens desistirem da luta. A opção era enfrentar a horda em desvantagem.

Foi o que aconteceu na Batalha de Kalka. Os cavaleiros russos usavam couraças de aço e tinham escudos, machados, espadas e lanças, mas eram pesados e lentos em comparação com os cavaleiros mongóis e foram presa fácil para os arqueiros do Khan. Foram vencidos sem dificuldade e o príncipe Mstislav, capturado.

Ele foi executado enrolado num tapete e asfixiado: como marca de respeito, os mongóis não derramaram seu sangue. O restante do exército russo ficou intimidado e se retirou.

Os mongóis saquearam então os depósitos de Sudak, na Crimeia. Eles pilharam o reino dos búlgaros e, em seguida, voltaram para casa, provocando enorme destruição no Casaquistão. O próprio Gêngis Khan voltou à Mongólia e morreu nas margens do lago Baical em 1227.

Em 1237, dez anos após a sua morte, a "Horda de Ouro" mongol atacou mais uma vez a Rússia. Em 1347, durante o sítio de Caffa, na Crimeia, os mongóis inventaram a guerra biológica, lançando de catapulta cadáveres das vítimas da peste por sobre as muralhas para infectar os que estavam dentro delas. Os mongóis continuaram a devastar a Rússia durante séculos. O tradicional relato russo *A história da destruição de Ryazan* conta: "Eles devastaram as igrejas de Deus e diante dos altares consagrados derramaram grande quantidade de sangue. (…) E isso aconteceu como castigo por nossos pecados".

JOÃO
O USURPADOR

1167-1216 — REI DA INGLATERRA

Ricardo Coração de Leão, rei da Inglaterra, considerava seu irmão mais novo, João, uma ameaça e o fez prometer não pisar em solo inglês enquanto ele estivesse longe, nas cruzadas. Mas João quebrou a promessa e tomou o poder na Inglaterra em 1190. Quando Ricardo retornou, em 1194, baniu o irmão. Para completar, os franceses retomaram as possessões da Inglaterra naquele país, o que lhe valeu a alcunha de João Sem Terra. No entanto, Artur da Bretanha, sobrinho de João e o verdadeiro herdeiro

Rei João caçando um cervo com cães, ilustração, séc. XIV, manuscrito *Claudius D. II*

do trono inglês, desapareceu enquanto estava sob a sua custódia. Assim, quando Ricardo morreu, em 1199, João tornou-se rei.

Ele impôs tributos pesados – especialmente aos judeus – e usurpou as prerrogativas dos barões feudais, tomando liberdades com suas mulheres e filhas. A nobreza reagiu e, em 19 de junho de 1215, o rei foi obrigado a assinar a Magna Carta, que afirma que o rei não está acima da lei e que esta reina suprema na Inglaterra. Ele ainda tentou fazer com que o papa revogasse a Carta, mas o pontífice, já distante devido à rejeição de João a seu candidato para o arcebispado de Canterbury, não quis se envolver. O rei reuniu um grande exército para enfrentar os barões, que pediram auxílio aos franceses. João estava prestes a mergulhar a Inglaterra numa guerra em larga escala quando morreu de disenteria em 1216. A guerra foi evitada e a Magna Carta, preservada como garantia da liberdade inglesa e fundamento dos direitos humanos em todo o mundo.

João talvez seja mais conhecido como o rei cruel que, juntamente com o xerife de Nottingham, planejou a derrubada do bom rei Ricardo Coração de Leão enquanto este participava de uma cruzada na Terra Santa. Segundo a lenda, os esquemas malignos de João foram contrariados apenas pelo campeão das massas oprimidas, Robin Hood. Infelizmente, a história de Robin Hood não passa de uma lenda; era, porém, muito popular na época de João e revela como esse indigno rei da Inglaterra era visto por seus súditos.

PEDRO, O CRUEL,
GUERRA FRATRICIDA

| 1334-1369 | REI DE CASTELA |

Pedro tinha apenas 15 anos quando subiu ao trono de Castela. Embora estivesse apaixonado pela bela Maria de Padilla, casou-se com Blanche, filha do duque de Bourbon, para firmar uma aliança com a França. No entanto, ele imediatamente abandonou Blanche – alguns dizem que a assassinou – e se ligou a Maria, que permaneceu como sua amante até morrer, em 1361.

Depois de ter subido ao trono, Pedro logo se revelou um soberano autoritário, o que levou seus quatro meios-irmãos a se voltar contra ele. Pedro esmagou impiedosamente a insurreição, matando três deles. O quarto, Henrique, escapou

Retrato imaginário de Pedro I de Castela, óleo sobre tela, Joaquín Domínguez Bécquer, 1857 para a França. Com o apoio do rei Carlos V da França, do papa Urbano V e de Pedro IV de Aragão, ele reuniu um exército de mercenários contra Pedro. Este buscou então o apoio de Eduardo, o Príncipe Negro, herdeiro da coroa Inglesa, o que valeu a vitória a Pedro. Mas Henrique organizou um segundo exército na França, derrotou e capturou Pedro, a quem assassinaria em 23 de março de 1369. Foi parte da ofensiva de propaganda de Henrique, cuja mãe, Leonor de Gusmão, amante do pai de Pedro, fora assassinada por este último, atribuir ao meio-irmão o epíteto de "Cruel": outros o chamaram Pedro, o Justo. De toda forma, o seu reinado foi manchado de muito sangue.

TAMERLÃO
AMBIÇÃO INFINITA

1336-1405 — GOVERNANTE DE SAMARCANDA

Muçulmano de origem turca, Tamerlão adotou o lema de um verdadeiro tiranos: "Assim como só existe um Deus no céu", declarou, "deve haver apenas um único governante na terra".

Nascido em Kesh, perto de Samarcanda, em 1336, numa família militar sem grande expressão, ele recebeu o nome de Timur. Foi ferido por uma flecha quando roubava carneiros, o que o deixou parcialmente paralisado do lado esquerdo; vem daí o apelido "Timur iLeng" (Timur, o Coxo) ou "Tamerlão". Ele tornou-se ministro chefe de sua região, a Transoxiana – o atual Usbequistão – sob o governador Ilyas Khoja, em 1361. No entanto, logo se rebelou e, ao lado do cunhado, Amir Husayn, derrotou Khoja em 1364 e completou a conquista da Transoxiana em 1366.

Em 1370, ele voltou-se contra Husayn e o matou. Proclamando-se governante em Samarcanda, reivindicou a soberania sobre os mongóis.

Declarou-se descendente direto de Genghis Khan e se propôs restaurar seu império perdido com um exército de 100 mil cavaleiros, armados com arcos e espadas, transportando tudo de que precisavam em seus animais de carga.

Ao longo dos dez anos seguintes, Tamerlão ocupou o Turquestão e enviou tropas à Rússia em apoio a Tokhamysh, o Khan mongol da Crimeia. Eles ocuparam Moscou e esmagaram os lituanos.

Campo da batalha entre Tamerlão e o sultão mameluco do Egito, iluminura, Kamal al-din Bihzad, c. 1515

Em 1383, Tamerlão dirigiu suas atenções à Pérsia, completando a conquista em 1385.

Só em Isfahan foram mortas 70 mil pessoas. Nos oito anos seguintes, conquistou o Iraque e a Ásia central. Em 1391, derrotou Tokhamysh e sua "Horda de Ouro" nas estepes russas, vencendo-o outra vez no rio Kur e ocupando Moscou em 1395. Enquanto isso, a Pérsia se revoltou. Ele retornou para esmagar brutalmente o levante, massacrando cidades inteiras e erguendo pirâmides com os crânios dos habitantes.

Em 24 de setembro de 1398, Tamerlão cruzou o rio Indo com o pretexto de que os governantes muçulmanos de Délhi estavam tratando seus súditos hindus com excesso de tolerância. Vitorioso na Batalha de Panipat em 17 de dezembro de 1398, ele ordenou a morte de 100 mil soldados indianos capturados.

Em seguida massacrou os habitantes de Délhi e destruiu tudo que seus homens não podiam levar consigo. Passaria um século antes de Délhi se recuperar completamente. Enquanto Tamerlão estava na Índia, o sultão mameluco do Egito e o sultão otomano Bayezid I se apoderaram de parte de seu território. Tamerlão se preparou para puni-los em 1399. Em 1401, derrotou o exército mameluco na Síria e massacrou os habitantes de Damasco. Em Bagdá, 20 mil foram abatidos. No ano seguinte, ele derrotou o exército otomano perto de Ancara e estendeu seu império até o Mediterrâneo, tomando Esmirna (Izmir) aos reis de Rodes.

Em dezembro de 1404, aos 68 anos, Tamerlão, incansável, partiu em campanha para conquistar a China. Mas em fevereiro de 1405 adoeceu e morreu em Otrar, no Casaquistão. Seu corpo foi levado de volta a Samarcanda.

GIAN GALEAZZO VISCONTI
SOB O EMBLEMA DA SERPENTE

1351-1402 | **DUQUE DE MILÃO**

Os Viscontis governavam Milão desde 1262, quando Ottone Visconti se tornara arcebispo na cidade. O emblema da família era uma serpente – o símbolo da astúcia – devorando um homem. Nascido em 1351, Gian Galeazzo ampliou sua estatura política em 1360, ao desposar Isabela de Valois, filha do rei da França. Em 1378, seu pai morreu e Gian Galeazzo herdou a metade ocidental da cidade, tornando-se um governante temível. Seu irmão, Bernabò, era pior. Quando ele cavalgava pelas ruas, todos tinham de se ajoelhar. Quem se opusesse a ele ou apenas o incomodasse era barbaramente punido.

Bernabò havia concebido um programa de torturas que durava 40 dias; ele o publicou para atemorizar seus infelizes súditos. Em 1382, Bernabò aliou-se ao príncipe francês Luís de Anjou, arranjando o casamento do filho deste com sua filha. Gian Galeazzo receou que isso aumentasse o poder do irmão. Fingindo estar em peregrinação, convidou-o a encontrá-lo fora dos muros da cidade. Bernabò foi capturado e jogado numa masmorra, onde morreu poucos meses depois, provavelmente envenenado.

Gian Galeazzo uniu desse modo as duas metades de Milão sob seu controle completo. Em 1387, Gian Galeazzo ofereceu a mão de sua filha a Luís, duque de Orléans, irmão do rei da França. Fortalecido, expulsou de Verona a dinastia Scala. Depois, em troca de um "presente" de 100 mil florins, o rei Venceslau fez dele príncipe hereditário do Sacro Império Romano-Germânico, nomeando-o duque de Milão em 1395 e conde de Pavia em 1396. Ele conquistou Pisa e Siena em 1399. Perúgia e outras cidades da Úmbria caíram em seu poder em 1400, e Bolonha foi anexada em 1402. Todo o norte da Itália, com a exceção de Florença, estava sob seu controle. Quando reunia seu exército para um ataque àquela cidade-estado, adoeceu e morreu vítima da peste, em 3 de setembro de 1402.

TOMÁS DE TORQUEMADA
EM NOME DE DEUS

1420-1498 GRANDE INQUISIDOR DA ESPANHA

O frade dominicano Tomás de Torquemada persuadiu os reis Fernando de Aragão e Isabel de Castela a impulsionar a Inquisição espanhola, que torturou e matou em nome da Igreja Católica.

Nascido em Valladolid em 1420, ele era sobrinho do renomado teólogo e cardeal Juan de Torquemada. Na juventude, ingressou no mosteiro dominicano de Valladolid, e mais tarde foi nomeado prior do mosteiro de Santa Cruz, em Segóvia, cargo que ocupou por 22 anos.

A infanta Isabel o escolheu como confessor quando estava em Segóvia. Quando ela subiu ao trono de Castela, em 1474, ele tornou-se um de seus mais influentes conselheiros, porém recusou todos os altos cargos eclesiásticos e escolheu permanecer um simples frade.

Orgulhava-se de ter uma vida extremamente austera: não comia carne e recusava-se a vestir linho por baixo de seu hábito grosseiro. E estava sempre descalço.

Em 1483 tornou-se grande inquisidor, primeiro de Castela e depois de Aragão. Ele escreveu os 28 artigos que ajudaram seus inquisidores a extirpar a feitiçaria, bigamia, sodomia e usura, assim como a heresia, a blasfêmia e a apostasia.

Torquemada autorizou o uso da tortura – em certos casos, até a morte – para extrair confissões. Passou boa parte de seu tempo perseguindo judeus que haviam se convertido ao cristianismo. Em 1490, ele transformou num espetáculo o julgamento de oito judeus acusados do assassinato ritual de uma criança cristã, um libelo comum na Idade Média. Embora não houvesse provas e nenhum cadáver fosse encontrado, foram condenados e morreram queimados. Torquemada usou o caso para argumentar que os judeus eram uma ameaça para a Espanha, e em 31 de março de 1492 Fernando e Isabel promulgaram o Edito de Expulsão, ordenando a saída de todos os judeus da Espanha.

Ele administrou entusiasticamente a medida, que fez a maior população de judeus da Europa medieval se tornar um bando de refugiados. Os que permaneceram foram perseguidos e queimados. Sob Torquemada, a Inquisição espanhola operava de modo bem diferente daquela da Alemanha ou da França, pois viajava por todo o país, buscando ativamente suas vítimas. Se um conde ou um duque recusasse a presença da Inquisição em seus domínios, era acusado de encorajar a heresia.

Torquemada adotava uma ampla definição de heresia. Além de feiticeiras e judeus, os bígamos também eram hereges, pois o casamento era um sacramento. A sodomia era igualmente punida com a fogueira.

Mas a tortura foi a sua grande contribuição para a Inquisição. Ele deu ordens de que ela deveria ser usada em todos os casos nos quais a heresia estava "provada pela metade" – isto é, uma acusação havia sido feita, mas nenhuma confissão fora obtida. Simplesmente ser trazido perante a Inquisição era suficiente. Sendo um bom cristão, Torquemada dizia que não se devia derramar sangue, e seus inquisidores usualmente evitavam romper a pele.

Ele admitia, porém, que as pessoas morressem sob tortura. Se isso ocorresse, os inquisidores deviam buscar imediatamente a absolvição de outro sacerdote. Torquemada deu a todos os seus padres o poder de absolver uns aos outros de assassinato. Havia cinco estágios cuidadosamente concebidos para o interrogatório, chamado pelos inquisidores de "a questão". O primeiro era a ameaça. Os prisioneiros ouviam a descrição das terríveis torturas que encarariam.

Esperava-se que o medo bastasse para forçar uma confissão. O segundo passo era a jornada até a câmara de tortura. A vítima era levada numa procissão à luz de velas. A câmara de tortura era sombria, iluminada apenas por braseiros que tinham seu próprio e aterrorizante significado. Era dado algum tempo à vítima para olhar em redor e ver os horrendos aparelhos que eram empregados. Ela veria outras vítimas sendo torturadas e também os torturadores, que usavam capuzes negros com fendas para os olhos.

No terceiro estágio, o prisioneiro era despido, ficando mais vulnerável. O quarto estágio consistia em mostrar à vítima o instrumento particular que seria usado nela.

Só então, no quinto e último estágio, a dor começava. Era contra a lei repetir o interrogatório. Uma vez que a vítima fosse interrogada e sobrevivesse, não poderia ser torturada de novo. Mas a tortura podia continuar dia após dia, semana após semana, com os intervalos sendo meramente uma "suspensão".

Embora os esticadores de membros fossem usados pela Inquisição, a maioria dos prisioneiros era submetida ao *strappado* e ao *squassation*. Com o *strappado*, as mãos das vítimas eram amarradas nas costas. O laço era então atado a uma corda e elas eram erguidas até o teto e deixadas penduradas ali. No *squassation*, a vítima era erguida no *strappado* e caía subitamente, a queda sendo detida com um forte impacto a poucas polegadas do chão. Caso isso não funcionasse, o acusado era preso a uma espécie de prancha inclinada, de modo que os pés ficassem mais altos que a cabeça, que era conservada no lugar por uma tira de metal. As narinas eram seladas com pedaços de madeira e a mandíbula, aberta com uma peça de ferro. Um pedaço de linho era posto sobre a boca e água era despejada pela garganta, levando consigo o linho. A vítima engolia automaticamente e o linho chegava ao esôfago.

Ela tossia e engasgava, alcançando um estado de sufocação parcial. Quando lutava, as cordas a cortavam. Era trazida cada vez mais água, algumas vezes até oito jarros. Outro instrumento era a "cadeira espanhola", uma cadeira de ferro com tiras de metal que prendiam a vítima de modo que esta não podia se mover. Seus pés descalços eram postos junto a um braseiro, sendo cobertos em seguida com banha e lentamente postos para grelhar.

A banha era aplicada para que a carne não queimasse rápido demais. Por vezes, a vítima tinha de ser levada para o auto de fé numa cadeira porque seus pés tinham queimado até o fim. Açoitamentos eram também uma prática comum, assim como a amputação de dedos das mãos e dos pés.

Legalmente, confissões extraídas sob tortura não eram válidas. Por isso, 24 horas depois, a vítima era levada de volta ao Santo Ofício, onde sua confissão era lida em voz alta. Sob juramento, ela devia afirmar que a confissão estava correta em cada detalhe.

Se não o fizesse, a tortura, que havia sido meramente suspensa, seria reiniciada. Caso contrário, a vítima era encaminhada ao auto de fé.

Execuções públicas, os autos de fé eram realizados aos domingos e feriados, para dar a mais pessoas a oportunidade de observar. As vítimas eram levadas ao *quemadero* – o local da fogueira – e amarradas a estacas. Elas eram então garroteadas e os gravetos em redor de seus pés eram acesos. Monges cantavam, o público aclamava, e os inquisidores se mostravam chocados com a maldade do mundo.

No período de Torquemada como grande inquisidor, mais de 2 mil hereges foram mortos desse modo. As perseguições eram tão implacáveis que o papa Alexandre VI apontou quatro inquisidores assistentes para conter o seu ímpeto. Embora problemas de saúde o obrigassem a se afastar em 1494, de seu mosteiro, em Ávila, ele continuou a supervisionar as atividades da Inquisição até 1498, quando morreu pacificamente em sua cama. Ele vivera para ver os muçulmanos expulsos de Granada, e os judeus, de toda a Espanha. Naquela época, muitos o chamavam de "Salvador da Espanha". A Inquisição continuou seu trabalho sinistro e queimou sua última vítima no Novo Mundo, em 1836.

VLAD, O EMPALADOR
O INSPIRADOR DO CONDE DRÁCULA

C. 1431-1476 **CONDE DA VALÁQUIA**

Inspiração para o conde Drácula do romance *Drácula*, de Bram Stoker, Vlad Tepes tornou-se governante da Valáquia, ao sul da Transilvânia, em 1456. Ele não bebia sangue, mas mandou matar pelo menos 50 mil pessoas – um décimo da população da Valáquia.

Descendente de Basarab, o Grande, fundador no século XIV do Estado da Valáquia, o pai de Vlad foi honrado pelo sagrado imperador romano Sigismundo com o ingresso na Ordem do Dragão – *dracul* em valáquio. Isso significava que seu filho era "filho do dragão", ou Drácula.

Quando Sigismundo morreu, o pai de Vlad fez um acordo com o sultão turco para garantir a independência da Valáquia. Vlad, garoto de 11 anos, e seu irmão Radu, de 6, foram enviados à Anatólia como reféns. Eles permaneceram ali por seis anos. Radu era um menino cativante que atraiu a atenção do futuro sultão, e a vida para ele na corte turca era prazerosa. Vlad, por outro lado, nada atraente, levava uma vida bem mais dura.

Em 1448 o pai deles foi assassinado e o filho mais velho foi queimado vivo por um pretendente rival ao trono, que era apoiado pelos húngaros. Os turcos não queriam um vassalo dos húngaros no controle da Valáquia, e por isso libertaram Vlad, que retornou a seu país, enquanto Radu permanecia na Turquia. Com ajuda turca, Vlad subiu ao trono, mas depois de dois meses teve de se exilar na Moldávia. Como o novo governante da Valáquia estabeleceu um acordo com a Turquia, Vlad buscou apoio húngaro e, oito anos depois, retornou à Valáquia e retomou o trono.

Os seis anos seguintes de seu governo foram marcados pela crueldade. Quinhentos boiardos (membros da nobreza territorial) valáquios que se opuseram a seu governo foram presos. Os mais velhos foram empalados; os mais jovens trabalharam até morrer na construção da fortaleza de Vlad, em Poenari.

Ele continuou a cometer crimes em nome da lei e da ordem. Matou comerciantes que enganavam os fregueses e mulheres que tinham aventuras extraconjugais. Nem sequer crianças estavam a salvo do empalamento.

Drácula mandava também esfolar pessoas ou fervê-las vivas, e depois exibia os corpos para que o público aprendesse a lição. Estima-se que tenha matado entre 40 mil e 100 mil pessoas e que cerca de 20 mil cadáveres foram exibidos na entrada de sua capital, Targoviste. Sua áspera política de lei e ordem funcionou. Para prová-lo, ele deixou uma taça de ouro junto à fonte de água potável na praça principal da capital. Ninguém a roubou.

Foram os turcos, seus principais inimigos na época, que o chamaram de "príncipe empalador". Não há registros de que ele próprio tenha usado o epíteto.

Tendo rompido com os húngaros, Vlad voltou-se mais uma vez para os turcos em busca de apoio, mas, quando se recusou a pagar um tributo de 10 mil ducados e 500 jovens, o sultão otomano Muhammad II, o Conquistador, invadiu a Valáquia. Recuando diante do inimigo, Vlad queimou aldeias, envenenou poços e enviou vítimas de doenças infecciosas ao acampamento dos turcos. Quando estes finalmente alcançaram Targoviste, estavam despreparados para a visão que os esperava.

"O exército do sultão deparou-se com um campo com estacas, de cerca de 3 quilômetros de comprimento por 1 quilômetro de largura", escreveu o historiador grego Chalcondyles. "E havia grandes estacas nas quais podiam ver os corpos empalados de homens, mulheres e crianças, cerca de 20 mil deles... O sultão, aturdido, repetia que não podia conquistar o país de um homem capaz de fazer coisas tão terríveis e antinaturais. Outros turcos perderam o juízo de tão assustados. Havia bebês agarrados às mães, e pássaros haviam feito ninho entre seus seios."

Muhammad II ficou tão assustado que se retirou. Depois ele enviou Radu, que, com boiardos desertores e tropas turcas, expulsou Vlad para sua fortaleza de montanha em Poenari. Ele escapou pelos Cárpatos para a Transilvânia, mas foi preso perto de Brasov pelo rei húngaro Matias Corvino.

Vlad conquistou o favor dos captores ao converter-se do cristianismo ortodoxo ao catolicismo. Foi mantido em prisão domiciliar – e conta-se que manteve sua habilidade empalando ratos e pássaros.

Quandol Radu morreu de sífilis em 1475, o trono da Valáquia caiu nas mãos do clã rival Danesti. Em 1476, com apoio húngaro, Vlad voltou à Valáquia e reivindicou o trono, mas teve de se bater novamente com os turcos e foi morto em combate. As circunstâncias de sua morte permanecem obscuras. Ele pode ter sido morto por seu próprio lado, que o confundiu com um turco, ou ter sido assassinado por Basarab Laiota, que lhe sucedeu no poder.

Seja como for, sua cabeça cortada foi levada pelos turcos para Constantinopla, onde foi cravada numa estaca acima da cidade.

Histórias da crueldade de Vlad circularam na Alemanha desde 1463 e logo se espalharam pela Europa, beneficiando-se da invenção da imprensa. Pelo menos 13 panfletos detalhando seus crimes apareceram entre 1488 e 1521. As versões russas louvam sua dedicação ao governo; já os turcos enfatizam suas atrocidades, e para os valáquios Vlad Tepes – como ele é chamado na Romênia – é um herói que várias vezes derrotou o invasor turco.

De acordo com um panfleto alemão publicado em Nuremberg em 1488, "(...) ele tinha toda espécie de pessoas empaladas lado a lado: cristãos, judeus, pagãos, de modo que elas se moviam, se contorciam e gemiam confusamente por muito tempo como rãs. Cerca de 300 ciganos entraram em seu país. Ele selecionou os três melhores dentre eles e os grelhou; estes os outros tiveram de comer." Embora a verdade dessas histórias seja difícil de verificar, elas em certos casos aparecem três ou mais vezes de maneira separada em relatos aparentemente independentes, o que lhes dá certa aparência de credibilidade.

Retrato de Vlad, o Empalador, óleo sobre tela, anônimo, Castelo Ambras, Áustria

RICARDO III
O VILÃO SHAKESPEARIANO

1452-1485 | **REI DA INGLATERRA**

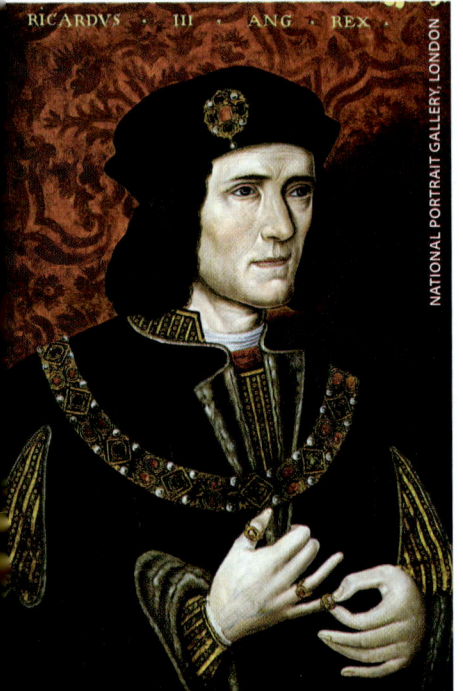

Filho mais novo do duque de York, Ricardo abriu seu caminho sanguinário para o trono durante as Guerras das Rosas, que opôs as casas de York e Lencastre. Seu irmão mais velho, Eduardo IV, havia sido deposto por Henrique VI. Ricardo comandou as forças yorkistas em Barnet e Tewkesbury que devolveram a coroa a Eduardo, e algumas evidências sugerem que Ricardo se envolveu no assassinato de Henrique VI.

Quando Eduardo IV morreu, a coroa passou a seu filho de 12 anos, Eduardo V, tendo Ricardo como "protetor". Ele teve a oposição da mãe de Eduardo e sua família, os Woodvilles. Juntando forças com o duque de Buckingham, Ricardo mandou prender e executar os líderes oposicionistas, enquanto Eduardo e seu irmão de 9 anos eram levados para a Torre de Londres.

Logo depois, o casamento de Eduardo IV foi considerado inválido. Isso tornou ilegítimos Eduardo V e seu irmão, deixando Ricardo como herdeiro do trono. Em 26 de junho de 1483, ele tornou-se rei. Os dois jovens príncipes desapareceram em agosto – assassinados, ao que parece, por Ricardo. O duque de Buckingham, seu antigo aliado, rebelou-se, mas o levante foi sufocado e ele, executado.

Contudo, isso deixou Ricardo enfraquecido. Em agosto de 1485, Henrique Tudor desembarcou em Gales. Na Batalha de Bosworth, Ricardo foi derrotado e morto, e as Guerras das Rosas terminaram. Graças a Shakespeare, Ricardo foi imortalizado como um dos grandes vilões na literatura inglesa.

Retrato do rei Ricardo III, óleo sobre painel, artista anônimo, séc. XVI, Galeria Nacional de Retratos, Londres

CÉSAR BÓRGIA
O MANIPULADOR

1475-1507 | **CARDEAL DE ROMA**

Filho do papa Alexandre VI, César Bórgia era um capitão do Renascimento que usou os exércitos da Igreja numa tentativa de estabelecer o próprio principado na Itália central. Sua manipulação do poder político para os próprios fins foi celebrada em *O Príncipe*, de Nicolau Maquiavel.

Nascido numa antiga família espanhola em setembro de 1475, César era filho do cardeal Rodrigo Bórgia, que se tornaria o papa Alexandre VI, e de sua mais famosa amante, Vannozza Catanei. Notório por sua devassidão, Rodrigo teve três filhos com amantes anteriores e quatro com Vannozza, entre eles Lucrécia, que ganharia uma fama de vilão algo excessiva. Rodrigo Bórgia usou o assassinato como ferramenta política. Ninguém estava a salvo.

Aos 16 anos, tornou-se bispo de Pamplona. Aos 18, era cardeal e um dos mais próximos conselheiros de seu pai. Mas com o seu gosto por prostitutas e pelo incesto, César não era talhado para a vida religiosa. Assim, ele arranjou o assassinato de seu irmão Juan, comandante dos exércitos pontifícios, e assumiu o lugar deste.

César abdicou do cardinalato em 1498 e fez um casamento politicamente vantajoso com a irmã do rei de Navarra, ainda que, por essa época, seu rosto estivesse tão desfigurado pela sífilis que ele, por vezes, usava uma máscara.

Com a ajuda de seus aliados franceses, começou a expandir os Estados Pontifícios. Ele forçou Lucrécia a casar-se em seu próprio benefício político, mandando assassinar um de seus maridos quando ele se tornou inconveniente. Também cometeu pessoalmente uma série de assassinatos políticos, em sua maioria de membros da família Orsini, rival dos Bórgia. Seu grande exército aterrorizava os habitantes da região que ocupava, e o estupro foi usado como ferramenta de poder. Maquiavel o louvou por acreditar que a ambição de César era reunificar a Itália. Ele adotou o lema: "*Aut Caesar aut nihil*" ("Ou César ou nada").

Quando Alexandre VI morreu subitamnte em 1503, César foi preso por ordem do sucessor de Alexandre, Júlio II, feroz inimigo dos Bórgias. Forçado a entregar as cidades que havia tomado, César fugiu para Nápoles, que então estava sob o controle da Espanha. Mas os espanhóis se recusaram a apoiá-lo numa guerra contra o papa e o prenderam. Ele fugiu para Navarra, onde foi morto numa emboscada, aos 31 anos.

Retrato de perfil de César Bórgia, *anônimo, séc. XV, possível cópia de pintura de Bartolomeu Veneto, Palácio Venezia, Roma*

FRANCISCO PIZARRO
GENOCIDA DA AMÉRICA

C. 1475-1541 **CONQUISTADOR DOS INCAS**

Filho ilegítimo de um oficial do exército, Francisco Pizarro foi abandonado por seus pais. Ele não estudou, não sabia ler nem escrever e ganhava a vida como condutor de porcos antes de se tornar soldado.

Em 1502, navegou para Hispaniola em busca de fortuna e, em 1510, juntou-se a uma expedição para a Colômbia. Numa segunda expedição com Núñez de Balboa em 1513, cruzou o istmo do Panamá e teve sua primeira visão do Pacífico. Quando Balboa foi decapitado por Pedrarias Dávila, Pizarro aderiu a Dávila e foi enviado para comerciar com os nativos ao longo da costa do Pacífico. Ele ajudou Dávila a subjugar as belicosas tribos do Panamá e em 1520 realizou uma expedição à Costa Rica.

Em 1522, notícias do massacre dos astecas por Hernán Cortés e da resultante apreensão de grande quantidade de ouro encheram Pizarro de entusiasmo. Com Diego de Almagro, outro soldado da fortuna, ele navegou para iniciar uma série de expedições ao longo da costa da América do Sul. As condições eram

Retrato de Francisco Pizarro, conquistador do Peru e Quito, detalhe, gravura, Arquivo Histórico dos Guyas, Equador

terríveis e muitos de seus homens morreram, mas em 1528 ele retornou ao Panamá vindo do Peru carregado de ouro. Quando o governador do Panamá lhe recusou permissão para novas expedições, Pizarro navegou até a Espanha para apresentar seu caso ao rei.

Como contrapartida pela promessa de subjugar o Império Inca, foi nomeado cavaleiro de Santiago e vice-rei de todas as terras que viesse a conquistar.

Em junho de 1530, Pizarro navegou para o império dos incas com quatro de seus irmãos, 180 homens e 37 cavalos. Após algumas dificuldades iniciais, conseguiram devastar uma povoação litorânea, apesar da hospitalidade que haviam recebido.

Quando chegaram reforços, eles convidaram o governante inca Atahualpa a visitar seu campo. Ele foi com seus guardas pessoais, que estavam desarmados. Pizarro então insistiu que ele aceitasse o cristianismo e a soberania do rei da Espanha. Quando Atahualpa rejeitou a proposta, atirando a Bíblia no chão, Pizarro abriu fogo contra os desarmados seguidores de soberano inca, massacrando-os.

O exército inca acampado nas proximidades estava agora sem liderança e se retirou para o interior. Atahualpa foi feito refém; seu resgate, em ouro e prata, deveria encher o aposento em que estava detido. Quando o resgate foi pago, porém, ele foi estrangulado.

Almagro então seguiu para o interior para capturar e devastar a capital inca, Cuzco, e Pizarro fundou a capital espanhola, Lima.

Pizarro coroou Manco Capac como rei dos incas numa tentativa de controlá-los. Porém Manco voltou-se contra os espanhóis, e Lima foi salva apenas pela chegada de alguns homens de Cortés.

Pizarro passou o resto da vida tentando consolidar seu poder no Peru. Em 26 de junho de 1541, foi assassinado por um grupo de seguidores de Almagro, que se tornara seu inimigo, liderados por seu filho.

HERNÁN CORTÉS
CONQUISTA SANGRENTA

1485-1547 | DESTRUIDOR DOS ASTECAS

O jovem nobre espanhol Hernán Cortés destruiu o Império Asteca, voltando-se contra seus superiores para se tornar o governante da Nova Espanha, atualmente o México. Cortés conquistou o império asteca com 500 homens, 16 cavalos e alguns canhões, além da ajuda preciosa de sua amante, uma escrava chamada Malinche, depois batizada como Dueña Marina. Ela falava o maia e a língua asteca, natuatl, e foi decisiva como sua intérprete durante a campanha.

Os astecas tiveram um prenúncio de seu destino quando, entre 1507 e 1510, estranhos navios começaram a ser vistos na altura da costa do México. Seguiu-se uma série de maus presságios – um cometa apareceu no céu, relâmpagos atingiram um templo e o som de mulheres chorando foi ouvido à noite. O soberano asteca Montezuma simplesmente executava quem relatasse esses augúrios de desgraça. Segundo as lendas astecas, o deus Quetzalcoatl, governante mítico dos toltecas, precursores dos astecas, havia sido exilado e deveria retornar no ano I Junco do calendário asteca. Ora, I Junco era 1519, o ano exato em que Cortés chegou de Cuba. Naturalmente, Montezuma pensou que eles eram deuses e que seus navios eram templos de madeira. Ele lhes enviou ouro e trajes magníficos feitos de penas, com a esperança de que os deuses aceitassem os presentes e fossem embora. Em vez disso, Cortés prendeu os mensageiros e lhes deu uma demonstração de seus poderes "divinos" disparando seus canhões, o que fez os astecas desmaiar de susto.

Cortés montou acampamento em Veracruz e queimou os navios, de modo que seus homens não tinham como fugir. Em seguida começou sua marcha rumo à capital asteca, Tenochtitlán. Dispondo de couraças, mosquetes, bestas, espadas, canhões e cavalos, os espanhóis tinham esmagadora superioridade militar. A guerra, para os povos pré-colombianos do México, era em larga medida cerimonial. Eles vestiam trajes requintados e lutavam armados apenas com uma pequena espada feita de obsidiana – vidro vulcânico. O objetivo era capturar tantos inimigos quanto possível para usá-los mais tarde em sacrifícios humanos.

Se um líder fosse morto ou um templo fosse capturado, o perdedor capitulava imediatamente e começavam as negociações sobre o tributo a ser pago. Mas Cortés não jogava pelas regras: ele matava quanto fosse capaz.

A única defesa possível para Montezuma era o ardil. Ele tentou capturar Cortés por meio de uma emboscada em Cholula. Porém Cortés descobriu o plano e massacrou os cidadãos de Cholula. Depois, ele destruiu o templo de Huitzilopochtli, deus asteca da guerra, e colocou no lugar uma imagem da Virgem Maria. Foi uma importante vitória psicológica.

Cortés estabeleceu uma aliança com os habitantes de Tlaxcala, recém-conquistados por Montezuma. Eles se rebelaram e outros povos subjugados se aliaram a Cortés.

Informadas do que havia acontecido em Cholula, outras cidades astecas se renderam; Cortés avançou para Tenochtitlán sem encontrar oposição.

Montezuma não teve escolha senão receber os espanhóis graciosamente. Ele alojou Cortés no palácio de Axayacatl, seu pai, que estava cheio de ornamentos de ouro. Os espanhóis os derreteram e jogaram fora as pedras e penas decorativas. O ouro foi moldado em barras e enviado diretamente para o imperador Carlos V (o rei Carlos I da Espanha), ignorando o superior imediato de Cortés, o governador de Cuba, Diego Velázquez. Cortés exigiu também que Montezuma jurasse fidelidade a Carlos V. O monarca asteca permaneceria como soberano nominal, enquanto Cortés empunharia as rédeas, tendo a meta de se tornar vice-rei.

Retrato de Hernán Cortés, óleo sobre tela, séc. XVI

Para reafirmar sua autoridade, Velázquez enviou mais de 1 mil homens sob o comando de Pánfilo de Narváez para disciplinar Cortés. Este seguiu para o litoral, onde derrotou Narváez e usou suas tropas para reforçar as próprias fileiras.

Enquanto isso, em Tenochtitlán, os astecas estavam celebrando o festival de seu deus da guerra Huitzilopochtli, o que, como todos os festivais astecas, envolvia sacrifícios humanos numa escala épica.

Horrorizados com a dimensão desses rituais sangrentos, os homens de Alvarado voltaram-se contra os astecas e massacraram cerca de 10 mil sacerdotes e devotos.

Quando Cortés voltou a Tenochtitlán, encontrou a cidade em estado

PRIVATE COLLECTION

de rebelião declarada. Ele tentou acalmar a situação fazendo com que Montezuma falasse a seu povo, mas os astecas o apedrejaram até a morte como traidor.

Cortés se apoderou do máximo de ouro e outras riquezas que seus homens podiam carregar e tentou fugir para se salvar. Os astecas os emboscaram e Cortés escapou com apenas 500 homens. Porém, num monumental erro tático, os astecas não perseguiram os espanhóis. Isso permitiu que Cortés reagrupasse suas forças: ele deu meia-volta e sitiou a cidade.

Os astecas opuseram feroz resistência. Porém, famintos e exaustos, foram derrotados por uma epidemia de varíola trazida por um dos soldados de Narváez. Ela matou o sucessor de Montezuma, seu irmão Cuitláhuac. O primo deles, Cuahtémoc, assumiu como imperador, mas foi capturado e torturado até revelar novas fontes de ouro e ser enforcado. Para esmagar qualquer resistência, Cortés demoliu Tenochtitlán, casa após casa, usando os entulhos para encher os canais que serviam de caminhos na cidade, no estilo de Veneza.

A Cidade do México foi erguida sobre essas ruínas. Os astecas sobreviventes foram usados como força de trabalho forçado nas minas de ouro e prata. A conversão forçada ao cristianismo destruiu os elementos remanescentes de sua cultura. Cortéz morreu em Sevilha em 1547, antes de embarcar de volta para seu palácio mexicano, em Cuernavaca.

HENRIQUE VIII
O "BARBA AZUL"

1491-1547 — **REI DA INGLATERRA**

Quando Henrique VIII subiu ao trono, parecia ser o rei ideal – jovem, em boa forma física, bem-educado e atraente. Mas ele se transformou num tirano sanguinário.

Amante da caça e jogador de tênis, Henrique também escreveu música e livros – entre eles um ataque a Martinho Lutero que lhe valeu o título de "Defensor da Fé", conferido pelo papa. Em 1502, seu irmão mais velho, Artur, morreu e ele tornou-se herdeiro do trono. Em 1509, sucedeu ao pai Henrique VII, que tinha dado à Inglaterra 24 anos de paz depois das Guerras das Rosas.

O primeiro dever de Henrique VIII era gerar um herdeiro para poupar a Inglaterra de novas guerras de sucessão. Também era vital para os interesses da Inglaterra conservar a aliança com a Espanha, e assim Henrique casou-se com a viúva de Artur, Catarina de Aragão, com o entendimento de que o casamento anterior dela não havia sido consumado. Embora se tratasse de uma união de conveniência política, parece ter sido também um casamento por amor – pelo menos no início.

Henrique VIII deixou a condução do governo com seu lorde chanceler, Thomas Wolsey, que desde 1515 era cardeal e legado papal na Inglaterra.

Henrique concentrou suas energias na política externa. Uma invasão escocesa foi repelida na Batalha de Flodden, em 1513, e ele conduziu várias campanhas contra a França, concluindo com Francisco I uma paz no Campo do Pano de Ouro em 1520. Henrique começou a construir a Royal Navy, convocando o Parlamento em 1523 para pagar a conta. No ano seguinte, o rei impôs um tributo que teve uma oposição tão feroz que foi forçado a aboli-lo, o que tornou Henrique e Wolsey extremamente impopulares e deixou o monarca praticamente na bancarrota.

Embora Catarina tivesse dado à luz uma menina, a princesa Mary, em 1516, ela não conseguiu dar a Henrique o herdeiro do sexo masculino que ele tanto desejava. Catarina tinha então mais de 40 anos e Henrique havia se apaixonado por Ana Bolena, irmã de uma amante que havia lhe dado um filho ilegítimo. Ele apelou ao papa para que este lhe garantisse o divórcio, sob o fundamento de que um homem não podia desposar a viúva de seu irmão, ainda que o papa tivesse dado a Henrique uma autorização especial para fazê-lo. Normalmente não haveria problema, mas na ocasião o papa Clemente VII estava sob o controle do imperador Carlos V, sobrinho de Catarina.

Henrique foi em frente e desposou Ana Bolena sem a permissão do papa. E mais, rompeu os laços com a Igreja de Roma, declarando-se o chefe supremo da igreja na Inglaterra. Fechou os mosteiros ingleses e se apoderou de sua riqueza, matando todos os que se opunham a ele – incluindo seu lorde chanceler, *sir* Thomas More, executado por traição.

Retrato de Henrique VIII, óleo sobre painel, Hans Holbein, o Jovem, séc. XVI

Antes disso, seu principal ministro, o cardeal Wolsey, já havia caído em desfavor por não ter obtido a autorização para o divórcio do rei. Wolsey morreu antes de ser executado, e Henrique ficou com o seu palácio. O cardeal foi substituído por Thomas Cromwell, que introduziu leis que conduziram o país ao protestantismo.

Levantes esporádicos nos anos seguintes permitiram ao governo quebrar pedaço por pedaço a oposição. No total, foram executados de 220 a 250 rebeldes. Quando Ana também fracassou em gerar um herdeiro do sexo masculino, ele a acusou de adultério. Ela foi sentenciada a ser queimada viva, porém Henrique misericordiosamente alterou a sentença para decapitação e trouxe de Calais um hábil espadachim para a tarefa. Os homens acusados de serem seus amantes foram de torturados para confessar, enforcados, arrastados pela rua e esquartejados.

Henrique casou-se com Jane Seymour, que lhe deu um filho, que morreu com 15 anos. Henrique casou-se outra vez, com uma princesa estrangeira, Ana de Clèves. Era uma união orquestrada por Cromwell para assegurar uma aliança luterana no norte da Europa, mas ela não agradou ao rei, que a descreveu como "a égua flamenga".

Cromwell foi preso e executado, deixando Henrique livre para pressionar por novas leis que davam ainda mais poder ao trono. A quinta esposa de Henrique, Catarina Howard, de 19 anos, foi executada por adultério quando se descobriu que ela não era virgem ao desposá-lo. Francis Dereham, que havia tirado sua virgindade, foi enforcado, arrastado pela rua e esquartejado, enquanto Thomas Culpepper, que fora julgado culpado de dormir com Catarina depois do casamento, sofreu a punição comparativamente misericordiosa da decapitação, pois era um dos favoritos de Henrique.

O rei casou-se novamente, pela sexta vez, com Catarina Parr, que sobreviveria a ele. O legado das diferenças políticas e religiosas que Henrique engendrou subsiste até hoje.

Retrato de Maria I, óleo sobre painel, Antonio Moro, 1554 Museu do Prado, Madri

MARY I
ALGOZ DOS PROTESTANTES

1516-1558   RAINHA DA INGLATERRA

Mary Tudor foi a primeira rainha a governar a Inglaterra por seu próprio direito. Sua brutal perseguição aos protestantes valeu-lhe a alcunha de "Bloody Mary" (Mary, a Sanguinária).

Filha de Henrique VIII e Catarina de Aragão, foi declarada ilegítima quando o casamento do pai foi dissolvido em 1533. Ela perdeu o título de princesa e teve de renunciar à fé católica, embora continuasse a praticá-la em segredo.

Após a morte de seu meio-irmão, o frágil Eduardo VI, uma insurreição protestante levou Jane Grey ao trono e Mary fugiu para Norfolk. Mas havia um sentimento generalizado de que era a herdeira legítima e Mary voltou a Londres para receber as boas-vindas de maneira triunfal. *Lady* Jane Grey – a chamada "Rainha por Nove Dias" – foi deposta e executada, juntamente com seu marido, Dudley.

Logo após sua coroação, Mary começou a reanimar a Igreja Católica, que fora banida por Henrique VIII. Quando ficou claro que ela desposaria o católico Filipe II, rei da Espanha, houve uma sublevação protestante em Kent sob *sir* Thomas Wyatt. Os rebeldes marcharam para Londres; Mary fez um discurso vibrante que mobilizou a população da capital; a rebelião foi derrotada e seus líderes, executados.

Mary casou-se com Filipe II, restaurou o credo católico e começou a perseguir os heréticos. Em pouco tempo, 300 protestantes encontraram a morte na fogueira. Seu casamento com o rei espanhol arrastou a Inglaterra a uma guerra impopular contra a França, que custou aos ingleses a posse de Calais, último reduto inglês na França.

Solitária, sem filhos e odiada, Mary morreu em 17 de novembro de 1558, sendo sucedida por sua meia-irmã Elizabeth I, uma protestante.

CATARINA DE MÉDICI
A NOITE DE SÃO BARTOLOMEU

1519-1589   REGENTE DA FRANÇA

Catarina de Médici pertencia à poderosa família Médici, que governou Florença com poderes despóticos quase continuamente de 1434 a 1737. Em 1533, ela desposou o delfim, que se tornaria o rei Henrique II da França em 1547. Embora ele mantivesse publicamente uma amante, Diane de Poitiers, Catarina deu-lhe dez filhos em dez anos de casamento.

Retrato de Catarina de Médici com capa preta e véu de viúva, óleo sobre painel, François Clouet, c. 1570

Henrique II morreu em 1558. Em 1560, o filho mais velho de Catarina, Francisco II – que se casara com a rainha Mary da Escócia –, também morreria. O novo rei era Carlos, filho de dez anos de Catarina, e ela tornou-se regente.

Na ocasião, a França estava dividida pelas guerras religiosas entre os católicos, que eram apoiados pela Espanha, e os protestantes, majoritariamente calvinistas, chamados huguenotes. Catarina tentou encerrar o conflito em 1572 ordenando o massacre de mais de 4 mil huguenotes em Paris, no episódio que ficou conhecido como Massacre da Noite de São Bartolomeu. O papa Gregório XIII mandou cunhar uma medalha para celebrar o evento. Mas, em vez de terminar o conflito, isso provocou a retomada das hostilidades. Catarina tornou-se regente mais uma vez quando Carlos IX morreu, em 1574, e, durante o reinado de seu filho Henrique III (1574-1575), continuou a incursionar pela política, atiçando as chamas do conflito religioso.

IVAN, O TERRÍVEL
O TERROR NO TRONO

1530-1584   CZAR DA RÚSSIA

Tendo ascendido ao trono, como grão-príncipe de Moscou aos 3 anos de idade, com a morte do pai, Vassili III, Ivan vivia com medo da casta de guerreiros "boiardos". A mãe de Ivan, Helena, assumiu o poder como regente. Ela morreu subitamente pouco tempo depois, provavelmente envenenada, quando Ivan tinha apenas 8 anos. Uma semana depois, o consorte de sua mãe, príncipe Ivan Obolensky, foi preso e espancado até a morte por seus carcereiros, e sua irmã, Agrafena, a amada babá de Ivan, foi enviada a um convento.

Não havia ninguém a quem Ivan pudesse pedir ajuda ou conselhos. "Quando a piedosa imperatriz Helena deixou o reino terrestre, ficamos, meu finado irmão Yuri e eu, completamente órfãos. Nossos súditos viram os seus desejos nos ignoraram, seus soberanos, e se precipitaram para conquistar riquezas e honrarias. Quanto a nós e a nosso finado irmão Yuri, fomos criados como estranhos ou mendigos. Quantas privações sofremos, tanto nas roupas como na alimentação! Não nos davam nenhuma liberdade, nunca fomos tratados como convém tratar as crianças. Vivemos perseguidos e oprimidos, e a perseguição crescia dia a dia, hora a hora."

Retrato do czar Ivan IV, O Terrível, *pintura, anônimo, séc. XVIII, coleção do Museu de Arte do Estado, Nizhny Tagil, Rússia*

Os boiardos negligenciavam a ele e seu irmão surdo-mudo, Yuri. Ivan era um mendigo no próprio palácio. Quando uma rivalidade entre duas famílias boiardas, os Shuisky e os Belsky, escalou para uma luta sangrenta, homens armados andavam pelo palácio, procurando seus inimigos, e com frequência irrompiam no quarto de Ivan – onde destruríam tudo, levando o que quiseram.

Ivan era um garoto inteligente e sensível, bem como um leitor insaciável. Incapaz de reagir, ele descontava suas frustrações em animais indefesos, depenando pássaros, furando-lhes os olhos e retalhando-lhes os corpos.

Em 1539, os Shuisky lideraram um ataque ao palácio, prendendo alguns dos amigos remanescentes de Ivan. O leal Fiódor Mishurin foi esfolado vivo e exibido ao público em uma praça de Moscou. Contudo, em 29 de dezembro de 1543, Ivan, então com 13 anos, subitamente contra-atacou. Ele ordenou que o sádico príncipe Andrei Shuisky fosse preso e jogado em um canil cheio de cães de caça famintos.

Apesar do fim do jugo dos boiardos, a situação do povo de Moscou melhorou pouco. Ao tomar o poder, Ivan já era um jovem perturbado e afeito à bebida. Ele atirava cães e gatos dos muros do Kremlin para ver seu sofrimento ao atingirem o chão e vagava pelas ruas de Moscou com uma gangue, bebendo, assaltando idosos, estuprando mulheres e matando suas vítimas estranguladas. Por outro lado, era muito devoto. Ele se prostrava ante imagens e batia a cabeça contra o chão. Chegou a fazer uma confissão pública em Moscou e, em seus momentos mais calmos, escrevia eruditos textos religiosos.

Aos 17 anos, Ivan foi coroado czar da Rússia. Ele centralizou o poder, mas governava com a ajuda de um "conselho seleto". Rapidamente expandiu seu território a leste dos montes Urais, mas foi derrotado pelos tártaros da Crimeia e pelos lituanos. Ivan reduziu a corrupção e a influência remanescente das famílias boiardas e reformou a Igreja e o exército, criando uma força de elite, a Strelsy. E, em 1558, começou a fazer negócios diretamente com a Inglaterra.

Ivan precisava se casar e todas as famílias nobres da Rússia apresentaram suas filhas. Ele escolheu Anastásia, uma Romanov, que conseguiu acalmá-lo. Entretanto, quando ela morreu, em 1560, após ter gerado seis filhos, o czar voltou a ficar instável. Colérico e depressivo, tornou-se cada vez mais paranoico e se convenceu de que os boiardos haviam envenenado Anastásia. Apesar de não ter provas, torturou e executou alguns deles. Ivan dissolveu o conselho seleto e tomou o poder em suas mãos, iniciando um reino de terror. Milhares foram torturados e mortos, e até seus conselheiros mais próximos foram presos ou exilados. Até hoje, encontram-se listas que incluem cerca de 4 mil nomes – apesar de Ivan ter doado dinheiro à Igreja para rezar pelas almas de suas vítimas…

Apesar de tudo, quando ele anunciou que abdicaria, em 1564, o povo implorou-lhe que ficasse, por achar que o reino de um czar algo louco era melhor que outra dose de governo boiardo. Ivan aceitou permanecer, sob a condição do poder absoluto. Para se impor, criou a Oprichniki, composta por um punhado de criminosos especialmente selecionados que tinham de fazer um juramento de lealdade pessoal a Ivan. Vestidos de preto e montados em cavalos negros, a simples visão dos Oprichnikis instilava medo na população. Eles não hesitariam nem mesmo em invadir uma igreja e sequestrar um religioso "desleal".

Ivan fortificou sua residência e a conduzia como a um mosteiro – dura liturgia cristã alternada com a tortura sádica dos inimigos. Os Oprichnikis tornaram-se uma ordem pseudomonástica, com o czar no papel de abade.

Ivan carregava um cajado com ponta de ferro, usado para espancar quem o ofendesse. Conta-se que certa vez ele usou camponesas nuas para praticar sua mira. Os amigos não estavam mais seguros. Seu tesoureiro, Nikita Funikov, foi fervido até a morte em um caldeirão, e o conselheiro Ivan Viskovaty foi enforcado.

Em 1570, Ivan saqueou e queimou a cidade de Novgorod e torturou, mutilou, empalou, queimou e massacrou 60 mil de seus cidadãos. Um mercenário alemão escreveu: "Montado em um cavalo e empunhando uma lança, ele avançava e golpeava pessoas enquanto seu filho assistia ao espetáculo…". A cidade nunca se recuperou.

Em 1571, Moscou, já atingida pela peste, foi devastada por um incêndio. Enquanto isso, os suecos, turcos, lituanos e tártaros da Crimeia se posicionavam nas fronteiras russas. Apesar de ter perdido Narva, Ivan conseguiu repelir a invasão dos tártaros depois de estes terem saqueado Moscou. Subitamente, em 1572 Ivan dispensou a Oprichniki, renunciou ao título de príncipe de Moscou e instalou um príncipe tártaro no trono, exilando-o um ano depois.

Sua vida matrimonial era igualmente excêntrica. Em 1561, casou-se com uma bela circassiana, mas logo se cansou dela. Ela morreu em 1569 e, dois anos depois, Ivan casou-se com a filha de um mercador, que encontraria seu fim duas semanas após as núpcias. Ele suspeitou que ela tivesse sido envenenada e mandou empalar seu irmão. Em 1575, livrou-se da quarta esposa enviando-a para um convento. A quinta esposa logo foi trocada pela sexta. Quando esta foi encontrada com um amante, ele foi empalado sob a janela dela e ela se juntou à quarta esposa no convento. Quando Ivan descobriu que sua sétima esposa não era virgem, mandou afogá-la. A oitava sobreviveu a ele. Enquanto isso, o czar se gabava de ter deflorado mil virgens.

Apesar da vida amorosa turbulenta, Ivan mantinha um bom relacionamento com seu primogênito, o jovem que ele entreteve em Novgorod. Mas em 19 de novembro de 1581 Ivan discutiu com a nora sobre a adequação das roupas que ela usava. Ele a espancou, causando um aborto. Pai e filho brigaram e, em um ímpeto de fúria, Ivan, o Terrível, acertou a cabeça do filho com o cajado de ponta metálica. O príncipe ficou em coma por dias até sucumbir. Ivan foi tomado pela mágoa e diz-se que nunca mais teria dormido, perambulando à noite pelo palácio na agonia do remorso.

Ao final da vida, o corpo de Ivan inchou, sua pele descamava e exalava um odor terrível. Com a morte se aproximando, ele fez votos monásticos. Morreu em 1584. Praticamente nenhuma família na Rússia escapou de seu jugo assassino. O país levaria séculos para se recuperar desse que foi um dos governantes mais tirânicos da história.

TOYOTOMI HIDEYOSHI
UNIFICAÇÃO E TERROR

1536-1598 — GOVERNANTE DO JAPÃO

Toyotomi Hideyoshi foi o Daimyo Supremo do Japão de 1590 a 1598 e completou a unificação do país. Soldado de Oda Nobunaga, que iniciara a unificação, Hideyoshi ascendeu rapidamente nas fileiras dos samurais e chegou ao comando quando Nobunaga se suicidou, em 1582. Hideyoshi foi fundamental na criação da ideia dos samurais como uma "elite guerreira", uma classe distinta que era a única à qual era permitido carregar armas.

Na guerra, ele era implacável. Uma vez, desviou o curso de um rio para dentro de um castelo inimigo, afogando todos os habitantes. Não hesitava em decapitar mil soldados inimigos. Quando tomava as terras de outros *daimyos*, ordenava que eles destruíssem suas fortificações e levava suas mulheres e crianças para Kyoto como reféns.

Hideyoshi alistava milhares de camponeses para seus enormes projetos arquitetônicos, tratando seus operários com dureza. Ele impunha também tributos punitivos. Disse: "Trate os camponeses como sementes de gergelim; quanto mais apertá-los, mais tirará deles". A ideia de crucificação parece que era uma diversão: em 1597, ele crucificou 26 padres católicos que haviam ido ao Japão como missionários. Nas invasões à Coreia em 1592 e 1597, ele encorajou seus homens a cortar nariz e orelhas dos inimigos e planejava fazer um grande monte com eles em Kyoto.

Quando seu único filho morreu, em 1591, Hideyoshi nomeou seu sobrinho de 23 anos, Hidetsugu, como seu sucessor. Seis meses depois, quando outro filho nasceu inesperadamente, Hidetsugu foi exilado; depois, foi ordenado a cometer suicídio. Sua jovem esposa, seus três filhos e suas 30 concubinas foram exibidos pelas ruas de Kyoto e publicamente executados em seguida.

BORIS GODUNOV
SEM OPOSIÇÃO

1551-1605 — CZAR DA RÚSSIA

Vindo de uma família de nobres tártaros, Boris Godunov era o principal conselheiro de Ivan, o Terrível. Ele entrou na nobreza russa pelo matrimônio e casou sua filha com o herdeiro de Ivan, Fiódor. Quando Ivan, o Terrível, morreu, em 1584, o nada brilhante Fiódor lhe sucedeu, mas Godunov governava como regente. Ele usava a polícia secreta de Ivan para espalhar o terror e torturava, prendia, executava ou exilava todos os que se opunham a ele.

Em 1590, a Moscóvia entrou em guerra contra a Suécia, tomando territórios ao longo do golfo da Finlândia. Em 1591, o irmão mais novo de Fiódor, Dmitri, morreu esfaqueado em circunstâncias misteriosas. Então, no início de 1598, Fiódor morreu e a Igreja Ortodoxa Russa pediu a Godunov que se tornasse czar. Ele disse que só aceitaria o trono se esse lhe fosse conferido em uma assembleia nacional. A assembleia foi convocada em fevereiro de 1598 e ele foi devidamente eleito, consolidando sua tomada de poder ao banir os Romanov e restringir o poder dos boiardos. Contudo, em 1601, a fome se alastrou. Mais de 100 mil súditos morreram, enquanto outros abandonaram Moscou para se juntar aos cossacos nas estepes. Enquanto isso, um exército de cossacos e poloneses reuniu-se na Polônia em torno de um aventureiro que dizia ser o já morto Dmitri. Em 1604, eles invadiram o sul da Rússia. O exército de Godunov retardou seu avanço para Moscou, mas, antes de derrotá-los, Godunov morreu. Ele foi sucedido por seu filho, que foi assassinado. A Rússia entrou, então, em um período de guerra civil conhecido como o "Tempo dos Tumultos", que só terminou quando um Romanov assumiu o trono, em 1613.

ELISABETE BÁTHORY
DRÁCULA DE SAIAS

1560-1614   CONDESSA DA TRANSILVÂNIA

De uma beleza lendária, Elisabete Báthory nasceu em 1560, no seio de uma das famílias mais antigas e ricas da Transilvânia. Ela teve muitos parentes poderosos, incluindo um cardeal, diversos príncipes e um tio que se tornaria o rei Estêvão da Polônia (1575-1586). Contudo, tinha também familiares conhecidos pela loucura ou perversão sexual, além de um tio que era um infame adorador do diabo.

Aos 15 anos, Elisabete casou-se com o conde Francisco (Ferencz) Nádasdy, mas manteve o próprio sobrenome, mais antigo e distinto que o do conde. Eles mudaram-se para uma fortaleza na montanha chamada de castelo Csejthe, na região de Nitra, no noroeste da Hungria. O conde passava tanto tempo longe de casa, lutando contra os turcos, que ganhou o nome de guerra de "Herói Negro da Hungria".

Mas Elisabete entediava-se. Ela passava horas admirando a própria beleza no espelho e teve uma série de amantes. Chegou até a fugir com um deles, mas retornou e foi perdoada pelo marido. Também começou a visitar regularmente sua tia, a condessa Clara Báthory, bissexual assumida. Ela se divertia ainda torturando jovens criadas: seus castigos favoritos incluíam deixá-las despidas na neve.

Com a orientação de uma velha serva chamada Doroteia Szentes (Dorka), que dizia ser bruxa, ela passou a se interessar pelo oculto. Dorka encorajou as tendências sádicas de Elisabete e, juntas, as duas começaram a disciplinar as criadas em uma câmara de tortura subterrânea. Com a ajuda de Dorka e de outra bruxa chamada Ana Darvulia, que também seria sua amante, Elisabete satisfez suas fantasias de perversão.

Ela encontraria qualquer desculpa para castigar jovens criadas. A vítima seria despida e então açoitada. Elisabete preferia açoitar a frente em vez das costas das garotas, pois assim ela poderia ver seus rostos se contorcerem de dor. Outra de suas preferências era enterrar alfinetes sob as unhas das mãos das vítimas.

Em 1600, o marido de Elisabete faleceu. Então não haveria mais ninguém para contê-la. Elisabete agora tinha 40 anos e era vaidosa, mas não havia maquiagem que lhe escondesse as rugas. Num certo dia, uma criada, ao ser esbofeteada, derramou sangue em sua mão e ela achou que sua pele adquirira o mesmo frescor daquela que a jovem serva ostentava. A condessa acreditou ter encontrado o segredo da juventude eterna. Então, ela e suas cúmplices despiram a criada, cortaram suas artérias e escoaram seu sangue para dentro de um barril. Assim, Elisabete banhou-se nele, convencida de que embelezaria todo o seu corpo.

Ela continuou o tratamento pelos dez anos que se seguiram, banhando-se regularmente no sangue de jovens que eram contratadas como criadas do Csejthe e das aldeias próximas, e então mortas e mutiladas. Ela bebia seu sangue também para rejuvenescer os órgãos internos. Mais tarde, chegou à conclusão de que o sangue das camponesas era de uma qualidade inferior, então enviou seus escudeiros para sequestrarem garotas da aristocracia. O desaparecimento das filhas dos nobres não passou desapercebido.

Em 1610, o rei Matias II da Hungria ordenou que um dos primos de Elisabete, o conde Cuyorgy Thurzo, governante daquela província, investigasse os crimes. Na noite de 30 de dezembro de 1610, Thurzo invadiu o castelo Csejthe com um grupo de soldados. Eles ficaram horrorizados com o que viram. No quarto principal, uma garota jazia com o corpo completamente sem sangue. Outra, com buracos no corpo, ainda estava viva. Nas masmorras, encontraram diversas garotas vivas, algumas das quais haviam sido torturadas. Sob o castelo, desenterraram os corpos de cerca de 50 jovens e, no quarto de Elisabete Báthory, encontraram citações de possíveis 650 vítimas.

Mas a condessa era de origem nobre, então não foi levada a uma corte para julgamento. Suas quatro cúmplices foram julgadas em 1611, e a transcrição do julgamento então feita é mantida até hoje na Hungria. Doroteia Szentes e Ana Darvulia foram decapitadas e cremadas.

O rei Matias queria que Elisabete enfrentasse a pena de morte por seus crimes, mas, em respeito ao primo dela, seu primeiro-ministro, ele a condenou à pena perpétua de confinamento solitário. As portas e janelas do quarto da condessa, em Csejthe, foram muradas com ela dentro. Deixou-se uma pequena brecha, por meio da qual a comida passaria. Em 1614, quatro anos depois de ter sido enclausurada, a "Condessa Sangrenta" estava morta, aos 54 anos.

Sem dúvida, a história da condessa Báthory ajudou a alimentar a lenda de Drácula. O comandante da expedição que auxiliou Vlad, o Empalador, a retomar seu trono em 1476 foi o príncipe Estêvão Báthory; ambas as famílias tinham um dragão em seus brasões, e tanto Vlad quanto Elisabete jubilavam-se diante do sofrimento alheio, pelo simples prazer que tinham com isso.

Elisabete Báthory, condessa da Transilvânia, *pintura, autor desconhecido, séc. XVI*

CARLOS I
UM MONARCA DECAPITADO

1600-1649 — **REI DA INGLATERRA**

O reino tirânico de Carlos I na Grã-Bretanha levou a uma guerra civil, à sua própria execução e a um hiato da monarquia.

Carlos I foi o segundo rei Stuart, herdando de seu pai, Jaime I (Jaime VI da Escócia), uma guerra impopular contra a Espanha. Um autoritário com gosto pelo luxo, o rei era sabidamente simpático ao partido da cúpula da Igreja e tinha pouca afinidade com os puritanos que dominavam a Casa dos Comuns. Eles se recusaram a lhe dar o direito de cobrar impostos e, quando questionaram a condução e os gastos da guerra em 1626, ele simplesmente dissolveu o Parlamento. Agora em guerra também com a França, Carlos decretou um imposto que os próprios juízes consideraram ilegal. Ele então destituiu o juiz presidente e prendeu mais de 70 nobres que se recusaram a pagar.

Em 1628, Carlos reinstalou o Parlamento e foi forçado a assinar uma extensa Petição de Direitos em troca da aprovação dos impostos. Quando um terceiro Parlamento condenou suas "práticas papais", ele ordenou sua suspensão. Carlos manteve o Parlamento fechado por 11 anos.

Em seguida, o rei tentou impor suas crenças da alta hierarquia da Igreja à Escócia presbiteriana. Quando isso falhou, declarou guerra contra os súditos escoceses. Em 1640, o Parlamento foi recomposto com o intuito de levantar fundos nesse sentido. Em vez disso, o Parlamento prestou inúmeras queixas contra Carlos e, em um mês, o rei o dissolveu novamente. Entretanto, quando o exército real foi derrotado em Newburn pelos escoceses, o regente convocou, em novembro de 1640, o que ficaria conhecido como o Longo Parlamento.

O novo Parlamento condenou o rei e decretou a prisão de seus ministros. Em 12 de maio de 1641, os parlamentares executaram o conde de Strafford, o mais fiel conselheiro real. Em novembro de 1641, a Câmara dos Comuns aprovou a "Grand Remonstrance" (Grande Representação), discriminando todos os erros cometidos por Carlos desde que assumira o trono.

Quando a Irlanda se rebelou, o Parlamento teve receio de que qualquer exército formado para contê-la poderia ser depois usado contra ele próprio e apressou-se a tomar o controle sobre os militares. Carlos ordenou que seis membros do Parlamento fossem presos, mas eles escaparam. Em junho de 1642, o Parlamento enviou as "Dezenove Propostas" ao rei, mais uma vez reivindicando controle parlamentar sobre o exército, ratificação de ministros do governo e direito a voz nas políticas da Igreja. O rei negou-se e, em 20 de agosto, alçou seu estandarte real em Nottingham – na prática, uma declaração formal de guerra contra o Parlamento.

Carlos foi derrotado pelas forças parlamentares, sob a liderança de Oliver Cromwell. Ainda mantido como prisioneiro, o rei conseguiu convencer os escoceses da legitimidade de sua causa. Assim, deu início a uma segunda Guerra Civil, que só terminaria com a derrota dos escoceses na Batalha de Preston em 1648.

O exército parlamentar (New Model Army) exigiu então que o rei fosse levado a julgamento como "o grande autor dos nossos problemas". Carlos foi acusado de traição. Mas – como rei – ele recusou-se a reconhecer que a corte tivesse qualquer poder jurisdicional sobre ele. Contudo, Carlos foi considerado culpado e decapitado no Palácio de Whitehall, em 30 de janeiro de 1649.

Retrato do rei Carlos I vestindo armadura, *óleo sobre painel*, estúdio de Gerrit Van Honthorst, séc. XVII

AURANGZEB
VOZ DA INTOLERÂNCIA

1618-1707 — **IMPERADOR MUGAL DA ÍNDIA**

O imperador mugal Aurangzeb governou uma vasta porção do que hoje são a Índia e o Paquistão. Muçulmano fervoroso, era intolerante com as outras religiões. Destruiu templos hindus e esmagou seus Estados vassalos, que até então gozavam de semi-independência. Em 1675, se indispôs com os sikhs ao executar o guru sikh Tegh Bahadur, que se recusara a se converter ao Islã, originando uma inimizade que já dura há séculos.

Aurangzeb chegou ao poder aprisionando seu pai, Shah Jehan, e executando o príncipe Dara Shukoh e dois irmãos mais velhos. Reinando pelos 49 anos seguintes, expandiu seus domínios até o extremo sul da Índia. Dentro de seu império, impôs leis religiosas estritas, arrasando altares e templos e destruindo obras de arte de todos os valores e idades, consideradas "idolatria". Versos do Corão também foram retirados das moedas, para não serem tocados por infiéis.

Retrato equestre de Aurangzeb, guache em papel, séc. XVII, Metropolitan Museum of Art, Nova York

Sua intolerância religiosa causou uma comoção interna que acabou enfraquecendo o reino. Quando Aurangzeb morreu, em 1707, o império se tornou um alvo fácil para invasões, primeiro dos persas e depois dos britânicos.

PEDRO, O GRANDE
PELA GRANDE MÃE RÚSSIA

1672-1725 — **CZAR DA RÚSSIA**

Pedro tinha apenas 4 anos quando seu pai, o czar Alexis, morreu. Ele era forte e saudável, bem diferente de seu meio-irmão Fiódor III, que herdou o trono. Quando Fiódor morreu, em 1682, sem deixar herdeiros, Pedro foi nomeado czar, mas os mosqueteiros de Moscou – os *streltsy* – rebelaram-se e forçaram-no a governar em conjunto com seu débil meio-irmão Ivan V, sob a regência de Sofia, irmã de Ivan, então com 25 anos. Contudo, em agosto de 1689, Pedro e seu tutor, o príncipe Bóris Golitsyn, conseguiram depô-la e bani-la.

Entre 1694 e 1697, Pedro dedicou-se à melhoria da posição marítima da Rússia. Ele lutou contra os tártaros da Crimeia e tomou Azov dos turcos, dando à Rússia acesso a vários portos comerciais importantes no mar Negro.

Ele então empreendeu uma viagem à Europa para garantir aliados contra o Império Otomano, mas teve de retornar quando os *streltsy* organizaram uma nova rebelião. Aniquilando-a, ele executou milhares deles, degolando muitos pessoalmente. Ele tirou também Sofia de seu caminho enviando-a a um convento, na companhia de sua bela esposa Eudóxia, de quem se cansara.

Querendo europeizar o país, e como os europeus não usassem barbas, Pedro instituiu um imposto sobre elas, na tentativa de fazer com que os boiardos – a nobreza russa tradicional – seguissem o exemplo. Essa decisão, é claro, não foi bem recebida.

Em seguida, Pedro recrutou 32 mil homens e atacou os suecos na Livônia, em agosto de 1700. Em novembro daquele ano, ele foi completamente derrotado na Batalha de Narva pelo rei sueco Carlos XII, perdendo mais de 15 mil homens para os 650 suecos. Mas ele não desistiu e derrotou-os em Erestfer e Hummelshof, em 1702. Ocupando o vale do rio Neva, construiu São Petersburgo, sua "janela para o Oeste", num pântano congelado do golfo da Finlândia.

No verão de 1704, ele sitiou Narva, tomando-a em 21 de agosto. Os suecos reagiram com a invasão da Rússia, fazendo Pedro recuar até o meio da Ucrânia. Mais uma vez, o inverno russo venceu os invasores, e os suecos foram obliterados na Batalha de Poltava. Em 1704, ele destruiu a frota sueca nas imediações de Hanko, dando à Rússia um lugar permanente no Báltico.

Pedro transformou a Rússia, construindo fábricas de armas, escolas militares, canais e estaleiros com a mão de obra de mais de 1 milhão de conscritos.

Quando o povo se rebelou contra a triplicação dos tributos para custear suas aventuras, ele o reprimiu com execuções, açoitamentos, mutilação e exílio permanente na Sibéria. Até mesmo Alexis, filho de Pedro, rebelou-se contra ele e foi aprisionado e torturado até a morte.

Em 1721, Pedro havia se autonomeado imperador de todas as Rússias e tomado o poder da Igreja, tornando-se seu patriarca. Ele morreu em 8 de fevereiro de 1725, depois de ter mudado as feições da Rússia.

Pedro, o Grande, *óleo sobre tela*, Jean Marc Nattier, c. 1720

FREDERICO GUILHERME I
UM ESTADO MILITAR

| 1688-1740 | **REI DA PRÚSSIA** |

Frederico Guilherme I transformou a Prússia em um Estado militarista, e isso teve consequências devastadoras que perduraram até meados do século XX. Ele tinha apenas um interesse – o exército – e queria que suas tropas fossem as mais fortes e disciplinadas da Europa. Homens de todas as classes foram recrutados e qualquer desobediência ensejava punições severas. Isso incluía também seu filho e herdeiro, que não tinha interesse algum nas questões militares e tentou fugir para a França. Ele foi forçado a assistir à execução de seu cúmplice, um amigo próximo, e passou 18 meses preso.

Frederico Guilherme tinha verdadeira paixão por soldados altos, e mantinha-se cercado pela Guarda de Potsdam (6º Regimento de Infantaria Prussiano), cujos integrantes tinham todos mais de 1,80 metro. Muitos deles foram trazidos de outros países. Aqueles que recusavam a sua intimação eram frequentemente sequestrados e levados à força para Berlim, onde eram incentivados a se casar com mulheres altas, para que concebessem novas gerações de soldados prussianos.

Quando morreu, em 1740, Frederico Guilherme mais que dobrara o tamanho de seu exército, então com 83 mil homens, dois terços dos quais eram estrangeiros.

Ainda que Frederico Guilherme tenha conseguido evitar os conflitos, quando seu filho Frederico – que se tornaria "o Grande" – lhe sucedeu, ele logo tomou a Silésia, iniciando uma guerra contra a Áustria. A infantaria prussiana fundada por Frederico Guilherme esteve à frente de todas as grandes guerras na Europa até 1945. Certa vez, um diplomata francês afirmou que a Prússia seria "menos um Estado com um exército, e mais um exército com um Estado".

Cena de batalha de Nadir Xá em um cavalo, *aquarela opaca e ouro em papel*, atribuído a Muhammad Ali ibn Abd al-Bayg ibn Ali Quli Jabbadar, séc. XVIII, Museu de Belas Artes, Boston

NADIR XÁ
SAQUES, TORTURAS E EXECUÇÕES

1688-1747   **GOVERNANTE DA PÉRSIA**

Informado de que o paraíso seria um lugar tranquilo, o guerreiro persa Nadir Xá observou: "Como podem então existir quaisquer deleites lá?".

Depois de ter servido ao chefe da tribo local, Nadir rebelou-se e passou a liderar um exército de bandidos. Em apoio a Tahmasp II – herdeiro do trono iraniano, que fora perdido aos afegãos quatro anos antes -, Nadir expulsou os afegãos da Pérsia. Quando Tahmasp foi derrotado pelos turcos, perdendo a Geórgia e a Armênia, Nadir o depôs, colocou seu filho no trono e se nomeando regente, para então retomar tudo que Tahmasp perdera. A mera ameaça de guerra com Nadir forçou o czar a entregar as províncias cáspias e, em 1736, ele assumiu o trono.

Deslocando-se para a península Árabica, Nadir tomou Bahrein e Omã. Então, depois de ter conquistado Cabul, ele avançou através do passo Khyber, derrotando os exércitos mugais em Karnal. Ele saqueou Délhi, massacrando milhares, e retornou ao Irã com o Trono do Pavão e o diamante Koh-í-noor.

Ele tentou forçar os iranianos xiitas a se tornarem sunitas, e atacou mais uma vez os usbeques e os turcos. Contudo, seu povo cansou-se dos custos e das vidas perdidas em suas guerras constantes.

Suspeitando que seu primogênito se voltara contra ele, Nadir mandou que o cegassem e silenciou revoltas populares com torturas e execuções. Entretanto, quando ele ordenou a execução de todos os oficiais persas de suas forças, o exército decidiu que aquilo era demais e voltou-se contra Nadir. Ele foi finalmente assassinado em 19 de junho de 1747.

PARTE III
A ERA NAPOLEÔNICA

CATARINA, A GRANDE
A INSACIÁVEL

1729-1796   CZARINA DA RÚSSIA

Catarina, a Grande, governou a Rússia de 1762 a 1796. Como todos os czares, ela era uma governante absoluta e ampliou as reformas de Pedro, o Grande, visando fazer da Rússia uma grande potência. Apesar de hoje ser mais lembrada pelas – algo exageradas – lendas sobre sua libido que por seus excessos políticos, suas vidas sexual e política foram intimamente ligadas.

Catarina nasceu em 2 de maio de 1729 na cidade prussiana de Estetino, hoje na Polônia. Aos 16, ela se casou com seu primo Pedro, de 17 anos, nascido na Alemanha, neto de Pedro, o Grande, e herdeiro do trono russo. Pedro era alcoólatra, impotente e débil. Por seis anos, Catarina se contentou em cavalgar e ser uma leitora ávida.

Mas a então imperatriz da Rússia, Elisabete, tia de Pedro, queria que ela tivesse filhos para continuar a linhagem dos Romanov e providenciou para que Catarina, ainda virgem, passasse um tempo com Sergei Saltykov, um nobre russo e notório mulherengo.

Após uma noite com Saltykov, Catarina tornou-se insaciável. Após dois abortos espontâneos, ela deu à luz Paulo, que foi tomado por Elisabete e apresentado ao povo russo como o herdeiro do trono.

Pouco depois, o marido de Catarina, Pedro, submeteu-se a uma cirurgia para corrigir a má-formação do pênis e curar a impotência, levando-o a tomar uma série de amantes. Entretanto, ele não parece ter tido relações com Catarina, que, então, havia tido um segundo filho com o jovem polonês conde Estanislau Poniatowski. "Não sei como minha esposa engravida," teria comentado Pedro.

Ele logo descobriu, ao flagrar o conde Poniatowski saindo disfarçado de sua casa de campo. Acusou-o de dormir com sua esposa, o que foi naturalmente negado. Pedro arrancou Catarina da cama e ela e Poniatowski foram forçados a cear com ele e sua mais nova amante. O conde foi enviado de volta à Polônia, em desgraça.

Catarina substituiu-o por um oficial dos guardas montados, conde Grigori Orlov, que logo a engravidou. Ela conseguiu esconder a barriga sob enormes vestidos com armação. Quando ela sentiu que a criança estava prestes a nascer, um de seus serviçais ateou fogo à própria casa para distrair Pedro, que nunca resistiu a um bom incêndio. Ela teve três filhos com Orlov, sempre entregando-os a serviçais assim que nasciam e escondendo-os por algum tempo.

Catarina, a Grande, óleo sobre tela, Fyodor Rokotov, 1763, Galeria Tretyakov, Moscou

TRETYAKOV GALLERY, MOSCOW

A infidelidade de Catarina levou Pedro à loucura, e, quando ele chegou ao trono, em 1761, ele estava determinado a se divorciar dela. Mas Pedro era muito impopular: ele amava tudo que era alemão e, ainda pior, idolatrava Frederico II da Prússia, com quem a Rússia estava em guerra. Após apenas seis meses no trono, Pedro concluiu um tratado de paz com Frederico e começou a planejar uma guerra desastrosa contra a Dinamarca.

Apesar de Catarina também ter nascido na Alemanha, ela era muito mais popular que o marido. Vestida com um uniforme de tenente, ela cavalgou até São Petersburgo, onde o conde Orlov estava servindo, com o exército atrás de si, e se proclamou imperatriz na catedral de Kazan. Pedro foi preso e abdicou, mas mesmo assim foi morto oito dias depois pelo irmão de Orlov, Alexei. Catarina instalou seu antigo amante, Poniatowski, no trono polonês e entrou em guerra com a Turquia.

A imperatriz, no entanto, recusou o casamento com Orlov, preferindo preservar a dinastia Romanov. Ele se tornou um risco político, e a situação piorou quando seduziu uma prima de 13 anos da czarina. Ela o expulsou e ele morreu louco e, como dizia, assombrado pelo fantasma de Pedro, o imperador assassinado.

As dificuldades impostas pela guerra, somadas a um surto de peste, levaram ao descontentamento. O resultado foi um levante liderado por Yemelian Pugachov, um cossaco de Don que dizia ser o falecido imperador Pedro, o Grande. Ele se preparava para marchar sobre Moscou, mas foi capturado e decapitado. A revolta deixou Catarina com medo do povo. Abandonando as ideias liberais, ela ampliou o alcance da servidão, levando-a à Ucrânia, onde não existira até então. Ao final de seu reinado, quase não havia camponeses livres no país.

Muito disso ocorreu sob a influência do oficial de cavalaria princípe Grigori Potemkin, que se distinguira na guerra com a Turquia. Quando ele e Catarina se conheceram, apaixonaram-se imediatamente. Ao final de seu caso com Orlov, ela planejava substitui-lo por Potemkin, mas, depois de ter jurado lealdade, ele se recolheu a um mosteiro, recusando-se a voltar à corte até que ela mandasse embora todos os outros favoritos. Tiveram um caso intenso por dois anos, mas, quando Potemkin começou a ganhar peso, Catarina passou a preferir homens mais jovens, apesar de ele manter sua posição na corte e ela se referir a ele como seu "marido".

Enquanto isso, para manter alguma influência, ele escolhia belos oficiais de cavalaria para serem amantes dela. Um contemporâneo da corte contou que os candidatos eram examinados em busca de sintomas de sífilis para depois terem a virilidade testada por uma das aias de Catarina. Ao menos 13 oficiais teriam passado pelo exaustivo processo de seleção. Se um candidato satisfizesse Catarina e ela pedisse bis, o "imperador da noite" seria promovido ao cargo de general adjunto, com um salário de 12 mil rublos por mês, mais despesas.

De fato, a influência de Potemkin, sempre fiel aos caprichos da czarina, seguia inabalada. Ele organizou a tomada da Crimeia aos turcos em 1783 e estendeu o território russo ao longo da margem do mar Negro.

Aos 60 anos, Catarina se apaixonou por Platon Zubov, de 22 anos, que se tornou rival de Potemkin pelo poder. Após a morte deste último, em 1791, Catarina anexou o oeste da Ucrânia e riscou a Polônia do mapa, dividindo-a entre Rússia, Prússia e Áustria. Ao todo, ela somou 200 mil milhas quadradas (aproximadamente 518 mil km²) ao território russo.

Ainda persiste o mito de que Catarina morreu quando declarou que nenhum homem conseguiria satisfazê-la e tentou fazer sexo com um cavalo. O cavalo, dizia-se, foi baixado até ela com um guindaste. Não há provas que confirmem essa lenda escandalosa, invenção dos franceses, inimigos jurados de Catarina. Ela morreu aos 67 anos, dois dias depois de ter sofrido um derrame: nenhum envolvimento equino foi comprovado.

TIPU
O TIGRE

1749-1799 — **SULTÃO DE MYSORE**

Os franceses na Índia ensinaram a Tipu as artes militares e um ódio patológico dos britânicos. Na época, seu pai, Hyder Ali, governante muçulmano do reino hindu de Mysore, tentava estender seu território a oeste e Tipu entrou em guerra com os maratas em 1767, 1775 e 1779, o que o levou a um conflito com os britânicos, aliados de vários dos soberanos agredidos pelo exército do sultão. Na segunda Guerra de Mysore, Tipu derrotou o coronel John Braithwaite no rio Kalidam (os ingleses chamavam o rio de Coleroon).

Quando Hyder Ali morreu, em 1782, Tipu celebrou a paz com os britânicos e se tornou sultão de Mysore. Logo depois, atacou o rajá de Travancore, outro aliado dos ingleses. Derrotado, perdeu metade de suas terras.

Cruel e fanático, Tipu ganhou o apelido de "o Tigre". Depois de ter aberto negociações com a França revolucionária, ele torturava e matava qualquer britânico que caísse em suas mãos. Isso levou à quarta Guerra de Mysore, na qual os britânicos atacaram sua capital, Seringapatam. Tipu morreu na batalha e hoje talvez seja lembrado principalmente por seu "brinquedo", o autômato Tigre de Tipu, hoje exibido no Victoria and Albert Museum, em Londres.

O autômato Tigre de Tipu foi construído para o sultão em meados de 1793

JORGE III
A PERDA DE UM CONTINENTE

1738-1820 | **REI DA INGLATERRA**

Jorge III ganhou a inimizade do povo de suas colônias americanas por seu comportamento tirânico, que os levou a pegar em armas para conquistar a independência. Primeiro dos reis da dinastia Hanover nascido na Inglaterra, Jorge III era geralmente considerado pouco inteligente: certamente demonstrou péssimo julgamento ao escolher seus primeiros-ministros.

Por causa da Guerra dos Sete Anos na Europa e das lutas contra os franceses e os indígenas na América, os cofres da Coroa estavam esvaziando quando Jorge teve a ideia de fazer os colonos americanos pagarem pela própria defesa. Seus auxiliares conceberam e impuseram uma série de leis de tarifas que indispuseram o rei com os colonos, que se recusavam a aceitar a "taxação sem representação", já que se consideravam sub-representados no Parlamento inglês. Em 1775, o impasse levou à guerra.

Muitos britânicos apoiaram os colonos, buscando os direitos que eles demandavam também para si. Mas Jorge argumentava que, se deixasse as colônias americanas se separassem, outras as seguiriam, e o Império Britânico entraria em colapso. Supunha-se que a Inglaterra, nação mais forte do mundo, seria capaz de esmagar os colonos, mas os franceses aproveitaram a oportunidade de humilhar a velha rival e apoiaram os americanos, em processo que culminou com a independência dos 13 estados, em 1783.

Apenas depois da derrota Jorge encontrou um primeiro-ministro competente, Pitt, o Jovem. Durante as Guerras Napoleônicas, a saúde mental do rei – que nunca havia sido das mais sólidas – entrou em colapso e seu filho hedonista, o futuro rei Jorge IV, assumiu como regente.

Rei Jorge III, *óleo sobre tela*, William Beechey, Galeria Nacional de Retratos, Londres

LUÍS XVI
O ÚLTIMO ABSOLUTISTA

1754-1793 | **REI DA FRANÇA**

Luís XVI foi o último de uma longa linhagem de tiranos. Seu avô, Luís XIV, foi a personificação do monarca absoluto, se autodenominando "Rei-Sol" e vivendo em meio ao grande esplendor de Versalhes, enquanto seu povo passava fome. As condições econômicas da França não melhoraram quando Luís XVI assumiu o trono em 1774, aos 20 anos.

Seu chefe das finanças, Turgot, tentou reformar a economia do país, buscando substituir a corveia – um tributo feudal pago em trabalho – por uma taxa em dinheiro, flexibilizar as leis relativas às corporações de ofício para estimular as manufaturas e cortar as despesas da monarquia. As reformas de Turgot foram rejeitadas pelos parlamentos regionais, que eram compostos, em sua maioria, pela nobreza, que teria que pagar o novo imposto, e ele foi dispensado.

A Guerra dos Sete Anos e o apoio de Luís aos rebeldes americanos quase quebraram o país. Na falta de um tesouro central, centenas de repartições governamentais gastavam dinheiro, tornando praticamente impossível para qualquer um ter alguma ideia de quanto dinheiro entrava ou saía. A crescente crise financeira causava inflação, e o desemprego em várias partes da França passou dos 50%. E tudo isso enquanto Luís e sua esposa, Maria Antonieta, continuavam a ostentar seu estilo de vida extravagante em frente ao povo, cuja pobreza estavam perpetuando.

Luís tentou novamente fazer sua reforma tributária passar pelos parlamentos regionais, que insistiram que ele convocasse os Estados Gerais pela primeira vez desde 1614. A assembleia era composta por três estados: o primeiro representava a nobreza; o segundo, o clero; o terceiro, a maioria do povo, cujo poder econômico aumentara consideravelmente desde o século XVII. Como não foram feitos ajustes entre o poder dos estados, o Terceiro Estado era facilmente derrotado nas votações. Seus representantes resolveram sair e formaram a Assembleia Nacional, que exigiu uma nova constituição.

À medida que a situação no país se de-

Retrato de Luís XVI em traje de coroação, óleo sobre tela, Antoine-François Callet séc. XVIII

MUSÉE NATIONAL DU CHÂTEAU DE VERSAILLES

teriorava, com várias regiões assoladas pela fome, Luís foi forçado a reconhecer publicamente a Assembleia, enquanto reunia tropas para dissolvê-la. Temendo que ela fosse eliminada, manifestantes saíram às ruas de Paris e, em 14 de julho de 1789, tomaram a Bastilha – a prisão fortificada que era um símbolo da opressão dos Bourbon –, dando início à Revolução Francesa. Naquele dia, Luís anotou em seu diário uma única palavra: "*Rien*" ("Nada").

Ele foi rapidamente engolido pelos acontecimentos. Em 6 de outubro, o rei e sua família foram tirados de Versalhes e mantidos em prisão domiciliar no Palácio das Tulherias, em Paris. Luís foi forçado a aceitar uma Constituição que limitava seus poderes. Em junho de 1791, ele tentou fugir, mas foi pego na fronteira alemã e levado de volta a Paris, onde permaneceu como rei constitucional por mais um ano. A eclosão da guerra com a Áustria em abril de 1792 fez o povo suspeitar de Maria Antonieta, que era uma princesa austríaca e a quem se atribuía parte da culpa pelos piores excessos de Luís XVI. A Assembleia Nacional aboliu a figura do rei, declarando a França uma república. Uma multidão invadiu as Tulherias em 10 de agosto de 1792, prendendo o rei e a rainha. Eles foram julgados por traição pela Assembleia Nacional e declarados culpados por 361 a 288, com 72 abstenções. Luís foi guilhotinado em frente a uma multidão eufórica na praça da Revolução – hoje praça da Concórdia – em 21 de janeiro de 1793. Maria Antonieta o seguiu no cadafalso em 16 de outubro.

PAULO I
PARANOIA NO PODER

1754-1801 | **CZAR DA RÚSSIA**

Catarina, a Grande, foi sucedida por seu filho Paulo, o herdeiro legítimo cujo trono ela ocupara. Temeroso da mãe, ele já havia formado seu exército particular. Mesmo após a coroação, em 1796, sua paranoia não desapareceu. Um de seus atos foi ordenar que os ossos de Potemkin, amante da mãe, fossem desenterrados e dispersos. Ele isolou a Rússia do resto do mundo, impedindo que seus súditos deixassem o país e banindo toda a música e livros estrangeiros. Quando o país entrou em guerra contra Napoleão, proibiu por lei o uso de chapéus, botas ou casacos franceses. Ele cortou relações diplomáticas com a Áustria e ameaçou entrar em guerra com a Inglaterra, planejando invadir a Índia.

Deixar de se ajoelhar em frente aos palácios do czar, mesmo estando a cavalo ou dentro de uma carruagem, era um delito que podia levar ao banimento. Sob Paulo, qualquer um que lhe desobedecesse era punido com uma surra, marcado com ferro e tinha o nariz cortado. Ao final de seu reinado, até a suspeita de ter "pensamentos nefastos" levava a uma longa pena na Sibéria.

Retrato de Paulo I, *óleo sobre tela, Vladimir Borovikovsky, 1796*

Em 1801, Paulo reverteu a política anterior quanto aos franceses e se aliou a Napoleão. Para o exército russo, essa foi a gota d'água. Em 23 de março, um grupo de oficiais entrou em seu palácio e exigiu a abdicação. Ele foi estrangulado ao se recusar e seu filho Alexandre, que era um dos conspiradores, foi instalado em seu lugar.

MAXIMILIEN ROBESPIERRE
À FRENTE DO TERROR

1758-1794   LÍDER REVOLUCIONÁRIO FRANCÊS

Líder do Comitê de Segurança Pública, Maximilien Robespierre foi responsável pelo Reino do Terror que se seguiu à Revolução Francesa.

Filho de um advogado de Arras, ganhou uma bolsa para estudar direito em Paris. Ele era admirado por suas habilidades, mas a austeridade e a dedicação lhe renderam poucos amigos.

De volta a Arras, ele advogou e ganhou fama na profissão. Jacobino, foi influenciado pelas teorias de democracia e deísmo de Jean Jacques Rousseau. A ênfase de Robespierre na virtude – que, em sua mente, significava moralidade cívica – lhe valeu o epíteto "o Incorruptível". Ele chegava a dormir com uma cópia do *Contrato social* de Rousseau ao seu lado.

Conhecido pela vestimenta austera e impecável e pelas maneiras simples, Robespierre foi escolhido para representar a cidade de Arras nos Estados Gerais de 1789 e supervisionou a redação da nova Constituição imposta ao rei. Após a fuga de Luís XVI, em 1791, ele votou pela morte do monarca destronado. Em 1792, foi eleito para a Comuna de Paris e representou a capital na Convenção Nacional, sempre pugnando por medidas mais duras em relação aos contrarrevolucionários. Em 1793, fez passar um decreto indiciando 29 líderes moderados que o acusaram de estar criando uma ditadura. O necessário naquele momento, segundo ele, era "uma vontade única".

Ao assumir um dos 12 assentos no Comitê de Segurança Pública, ele pediu a formação de uma milícia revolucionária para combater os contrarrevolucionários e acumuladores de grãos. Massacres se seguiram. A incipiente república se viu mergulhada na guerra civil e sob ataque externo de Inglaterra, Áustria, Espanha, Portugal, Prússia, Rússia, Sardenha e Nápoles. Em 5 de setembro de 1793, os revolucionários publicaram um decreto tornando o "terror" a ordem do dia. Os inimigos da revolução – nobres, clérigos e suspeitos de acumular grãos e propriedade privada – deveriam ser eliminados. Seguiu-se uma onda de atrocidades conhecida como Reino do Terror. O primeiro plano era enviar o exército revolucionário de Paris para o interior com uma guilhotina móvel. Mas Robespierre, que agora encabeçava o todo-poderoso Comitê de Segurança Pública, queria um exército de meio milhão de homens para fazer o trabalho e iniciou o recrutamento.

Em 17 de setembro, o comitê passou a Lei dos Suspeitos, que lhe permitia prender e executar qualquer um que fosse suspeito de posições antirrevolucionárias. "Agora, um rio de sangue separará a França de seus inimigos," alegrou-se Robespierre.

A revolução foi um produto da era da razão e, aos olhos de Robespierre, a religião organizada era um inimigo. O comitê enviou agentes por todo o país para descristianizar a população. Igrejas e cemitérios foram depredados; o bispo de Paris foi forçado a renunciar e Notre-Dame foi desconsagrada e rebatizada de Templo da Razão.

Lyon se rebelara contra os jacobinos, mas, em 9 de outubro, após um bombardeio sangrento, os revolucionários retomaram a cidade e a rebatizaram de Ville-Affranchie – Cidade Libertada. A guilhotina ficou sobrecarregada. Em 11 Nivoso, de acordo com a minuciosa contabilidade mantida pelos jacobinos, 32 cabeças foram decepadas em 25 minutos. Uma semana depois, foram 12 cabeças em apenas cinco minutos e os moradores da rua Lafont, onde a guilhotina havia sido instalada, reclamavam do sangue transbordando do bueiro localizado sob o cadafalso.

Execuções em massa, a tiros, se tornaram cotidianas. Até 60 prisioneiros eram amarrados em fila com

Retrato de Maximilien Robespierre, *óleo sobre tela*, Louis-Léopold Boilly, 1791

cordas e levavam tiros de canhão. Aqueles que não morriam na hora levavam o golpe de misericórdia com baionetas, sabres e rifles. Encarregado da Comissão de Justiça Popular, um ator chamado Dorfeuille, escreveu a Paris gabando-se de ter matado 113 lioneses em um único dia. Três dias depois, ele massacrou 209 e prometeu que mais 400 ou 500 iriam "expiar seus crimes com fogo e tiros". Ao final da matança, 1.905 estavam mortos. Mas logo o canastrão também seria preso e assassinado.

Marselha – agora Ville-Sans-Nom (Vila Sem Nome) – foi expurgada de modo parecido. Após uma insurreição na Vendeia (Vendée), o agente local escreveu ao Comitê de Segurança Pública em Paris descrevendo as represálias. "Não há mais Vendeia, cidadãos," contou. "Ela acaba de perecer sob nossa espada livre, com suas mulheres e crianças. Acabo de enterrá-la nos pântanos e na lama de Savenay. Seguindo as ordens passadas por vós, esmaguei crianças sob as patas de cavalos e massacrei mulheres que, ao menos, não gerarão mais criminosos. Não tenho prisioneiros com que me ocupar". O nome Vendée foi mudado para Vengé – Vingada.

Duzentos prisioneiros foram executados em Angers apenas em dezembro; dois mil em Saint-Florent e, em Pont-de-Cé e Avrillé, de três a quatro mil foram mortos a tiros em uma longa e impiedosa matança. Em Nantes, a guilhotina trabalhava tanto que um novo método de execução, chamado "deportação vertical", foi desenvolvido. Uma barca era levada ao meio do rio Loire, onde o carrasco tirava uma tábua pregada no convés. A barca, então, afundava, junto com os prisioneiros. Quem tentasse escapar de se afogar era golpeado com um sabre.

No início, esse método de execução era reservado ao clero e conhecido como "batismo republicano". Mais tarde, "banho nacional" passou a ser mais usado. Homens e mulheres jovens eram por vezes amarrados juntos, em um "casamento republicano".

O exército revolucionário se espalhou pelo país e matava homens, mulheres e crianças suspeitos de simpatias antijacobinas. Colheitas eram queimadas; animais eram mortos; celeiros e cabanas, demolidos; e florestas, incendiadas. Doze colunas infernais foram enviadas para "pacificar" o campo, matando todos no caminho. Mulheres eram estupradas e crianças eram mortas, todas mutiladas.

Em Gonnord, o general Crouzat forçou 200 idosos, juntamente com mulheres e crianças, a se ajoelhar em frente a um fosso que haviam cavado e foram executados a tiros. Trinta crianças e duas mulheres foram enterradas vivas quando o fosso foi coberto de terra. No Vale do Loire, cerca de um quarto de milhão de pessoas foram mortas – um terço da população da região.

Apesar de Robespierre condenar os massacres ocorridos nas províncias, ele conduzia o próprio banho de sangue em Paris. Quando fez um discurso, em 5 de fevereiro de 1794, clamando pela consolidação da democracia e o predomínio pacífico das leis constitucionais, seu Tribunal Revolucionário em Paris já havia condenado e executado 238 homens e 31 mulheres, com mais 5.434 presos em Paris aguardando julgamento.

Ali também a guilhotina trabalhava demais. Uma prostituta foi executada por expressar sentimentos monarquistas – ela simplesmente reclamara que os negócios iam mal após a revolução. Famílias inteiras eram guilhotinadas, com os membros mais velhos sendo forçados a assistir às execuções dos mais jovens enquanto esperavam a própria vez. Quando um prisioneiro se matou com uma punhalada em frente ao Tribunal Revolucionário, a corte ordenou que seu corpo fosse guilhotinado de qualquer forma. Não se poderia evitar a justiça revolucionária.

A revolução, então, começou a consumir os seus. Qualquer um que se opusesse a Robespierre era sentenciado a "olhar pela janela republicana" – ou seja, por a cabeça na moldura da guilhotina. Quando o grande herói da revolução, Georges Danton, tentou pôr fim ao Terror, também foi preso e enviado para ser "barbeado pela lâmina nacional". Enquanto isso, Robespierre voltava atrás no voto de ateísmo da revolução. Os descristianizadores, que Robespierre agora via como imorais, pagaram por essa mudança de rumo com a vida. Ele instituiu o Festival do Ser Supremo, cujo protagonista era ele mesmo, explicando que isso não era uma volta à crença em Deus – a natureza era o "Ser Supremo". Mas muitas pessoas começaram a se perguntar se Robespierre não acreditava que o "Ser Supremo" fosse ele mesmo. Ele era pretensioso, se via como um missionário da virtude e acreditava que estava usando a guilhotina como um instrumento para o engrandecimento moral da nação.

Novos crimes foram criados: "difamação do patriotismo", "buscar inspirar o desencorajamento", "espalhar falsas notícias" e "prejudicar a pureza e a energia do governo revolucionário". Para apressar o curso da Justiça, os acusados não tinham direito a advogado ou a testemunhas. O júri era formado por bons cidadãos que chegavam a um julgamento justo e imparcial. Havia apenas dois resultados possíveis: absolvição ou morte. O próprio Robespierre cunhou o slogan "Clemência é parricídio".

Alguns republicanos começaram a questionar a necessidade de medidas tão draconianas. Robespierre, imediatamente, fez com que todos fossem investigados. Ele estava tão ocupado organizando a perseguição que não percebeu que líderes revolucionários zombavam do culto ao Ser Supremo pelas suas costas.

Em 26 de julho de 1794 – 8 Termidor, ano II –, Robespierre fez um discurso pedindo por "mais virtude", e seus apoiadores responderam gritando que seus inimigos fossem enviados "*à la guillotine*". Mas, no dia seguinte, críticos apontaram que Robespierre se desviara do protocolo: em vez de falar em nome da liderança coletiva, ele discursara em seu próprio nome. Robespierre não tinha palavras para rebater a acusação. Rapidamente, seus oponentes atacaram – sabiam que, se não o fizessem, logo encontrariam seu destino.

Robespierre e seus apoiadores foram presos em 27 de julho. Ele não estava em posição de pedir clemência. Tentou atirar em si mesmo, mas errou, estraçalhando a mandíbula. Sumariamente julgado, subiu no cadafalso em frente a uma multidão em êxtase na praça da Revolução na manhã seguinte. Encontrou a morte coberto de sangue após o carrasco ter tirado a bandagem de papel que segurava sua mandíbula, para não atrapalhar a queda da lâmina. Robespierre uivou de dor, mas foi silenciado pela guilhotina.

Durante o Reino do Terror, além dos massacrados no interior, ao menos 300 mil pessoas foram presas, 17 mil foram oficialmente executadas e muitas mais morreram.

DR. JOSÉ GASPAR RODRÍGUEZ FRANCIA
EL SUPREMO

1766-1840 | DITADOR DO PARAGUAI

Quando o Paraguai declarou independência da Espanha e depôs o governador *Don* Bernardo Velasco, em 1811, o único paraguaio nato qualificado para compor a junta que foi formada às pressas para liderar o país era o Dr. José Gaspar Rodríguez Francia. Nascido em Assunção em 1766, era filho de um oficial do exército brasileiro que se mudara para o Paraguai para plantar tabaco. Ele mudou seu nome de França para Francia, alegando ter ascendência francesa. Após alguns anos na escola jesuíta, foi enviado para estudar teologia na Universidade de Córdoba, do outro lado do rio, onde hoje é a Argentina.

Apesar de Francia não ter participado da dissociação da Espanha – e provavelmente fosse contra –, ele foi escolhido, por sugestão de Somollera, para participar da junta. Como os dois outros membros não sabiam nada de governos e leis, coube a Francia redigir uma Constituição, que ficou com apenas quatro linhas. Quando ela foi ratificada por um Congresso convocado às pressas, o Paraguai se tornou a primeira república independente da América do Sul.

Francia logo se cansou dos dois generais de uniformes com adereços dourados com quem dividia o poder – em grande parte porque não concordavam com tudo o que ele dizia. Então ele abandonou a junta, deixando o governo paralisado.

De volta ao campo, ele insuflou o descontentamento entre os donos de terras – o que não foi difícil, com Buenos Aires em guerra contra a Espanha e o rio Paraná, praticamente a única rota de entrada e saída de bens do Paraguai, fechado. Ele caiu também nas graças dos índios guaranis, dirigindo algumas diatribes contra os descendentes de espanhóis.

Quando a junta de Buenos Aires enviou um diplomata a Assunção para convidar o Paraguai a se juntar à confederação argentina, Francia aproveitou o momento. Espalhou que os argentinos tentavam por meio da diplomacia o que não haviam conseguido pela força em uma invasão anterior. Apesar de a junta ter cinco membros após a saída de Francia, ainda eram todos espanhóis e o povo não confiava neles, que se viram obrigados a chamar Francia de volta. Seu preço foi governar sozinho. Ele se tornou primeiro cônsul, depois ditador perpétuo do Paraguai, conhecido informalmente como "El Supremo".

O golpe de Francia sofreu alguma oposição. As tropas de Yegros se rebelaram. Cavallero interveio para restaurar a ordem. Ambos foram presos. Cavallero se enforcou na prisão em 1821; Yegros foi executado. *Don* Pedro Somollera, conhecido de Francia por toda a vida e colega de graduação em Córdoba, foi preso, mesmo tendo-o indicado para compor a junta. Ele foi encarcerado com seu irmão, Benigno, e com o antigo governador, Velasco. Na manhã de 29 de setembro de 1814, soldados tomaram as ruas. Alegando a existência de um plano golpista, os inimigos de Francia foram presos e enforcados sumariamente. Com esse truque simples, Francia se livrou de qualquer oposição. Somollera evitou cair na armadilha e teve permissão para sair do país. Velasco morreu na prisão. Francia logo instituiu um reino de terror, prendendo sob acusações falsas quem o criticasse. Qualquer um que tivesse ocupado um posto político no país foi preso e teve sua propriedade confiscada. Ele instituiu uma força policial e organizou um sistema de espionagem tão eficaz que, dizia-se, que ele sabia até os pensamentos dos moribundos. Presos não tinham ideia do motivo de sua detenção. Poucos saíam das prisões de Francia. Os prisioneiros eram abandonados mal alimentados, sujos, desarrumados e sem cuidados médicos até morrer. Os parentes só sabiam que eles ainda estavam vivos porque lhes era permitido mandar comida.

Francia comandava também execuções, que sempre ocorriam no início da manhã. O *banquillo* – o banco em que os condenados se sentavam – era posto à vista da janela de Francia. Ele assistia para ter certeza de que as execuções estavam ocorrendo e insistia que o corpo ficasse fora da janela o dia todo, sob o calor, para se certificar de que a vítima estava morta, antes que a família pudesse levá-los embora.

Como outros ditadores, Francia tinha pavor de ser assassinado. Embora fosse sua irmã quem fizesse os charutos que ele fumava, cada um era cuidadosamente desenrolado para verificar se não havia veneno – a irmã não estava acima de suspeita, já que ele havia aprisionado seu marido. Ele verificava todos os ingredientes de suas refeições e fazia a própria erva-mate. Não era

Doutor Gaspar Francia, gravura, Alfredo L. Demersay, séc. XIX

permitido portar nem mesmo uma bengala em sua presença ou se aproximar a menos de seis passos dele. O próprio Francia nunca andava sem uma pistola ou sabre. Para evitar insurreições, ninguém no exército era promovido além da patente de capitão. Ele não confiava em seus próprios ministros de governo.

Após 28 anos no poder, o povo começou a acreditar que Francia era imortal, até que ele morreu subitamente, aos 74 anos. Após uma noite fria, ele adoeceu. Quando seu médico foi examiná-lo e se aproximou a menos de seis passos, Francia tentou golpeá-lo com o sabre, recusando qualquer ajuda e sofreu uma crise. O médico pediu ajuda, mas o sargento da guarda se recusou a entrar no quarto sem ordens diretas do dr. Francia. O médico explicou que Francia estava inconsciente e incapaz de falar, mas o sargento recusou-se assim mesmo.

Por vários dias, ninguém se atreveu a acreditar que Francia realmente estavesse morto. Os paraguaios, por décadas após sua morte, o chamaram apenas de "El Difunto".

Apesar de seu desdém pela religião, o dr. Francia foi velado ante o altar-mor da catedral de Assunção. Mas o corpo do ditador sumiria, originando a lenda de que o diabo viera tomar o que era seu. Acredita-se que as velhas famílias espanholas do Paraguai tenham se vingado dele, jogando o cadáver no rio.

NAPOLEÃO BONAPARTE
À FRENTE DO TERROR

1769-1821 — **IMPERADOR DA FRANÇA**

Tanto como primeiro-cônsul quanto como monarca autoproclamado, Napoleão não tolerava oposição, fosse dentro ou fora da França. Ele mudou seu país e redesenhou o mapa da Europa, mas seu plano de dominação mundial foi frustrado pelos britânicos.

Ele nasceu Napoleone Buonparte, em Ajaccio, Córsega, logo após a França ter adquirido de Gênova a ilha mediterrânea. Aos 10 anos, foi enviado ao colégio militar, onde era desprezado como estrangeiro. Depois de ter se formado, foi designado oficial de artilharia.

Nessa época, ele se filiou a um dos clubes jacobinos revolucionários de Grenoble e se envolveu com o nacionalismo corso. Em 1792, foi eleito tenente-coronel dos Voluntários de Ajaccio, mas, após uma ação malsucedida na vizinha Sardenha, se desentendeu com os nacionalistas e teve de fugir para Marselha com a família.

Quando a Revolução Francesa eclodiu, ele se uniu aos republicanos e ajudou a expulsar os britânicos de sua fortaleza em Toulon. Tendo servido com distinção como oficial de artilharia, foi nomeado comandante da artilharia do exército francês da Itália. Quando Robespierre caiu, Napoleão foi brevemente preso. Solto, assumiu um posto no exército do interior e salvou a Convenção Nacional de 1795, disparando um canhão contra as multidões que se opunham a ela.

Como recompensa, recebeu o comando do exército da Itália. Ele se casou com a viúva Josefina de Beauharnais e mudou seu nome para o francês: Napoléon Bonaparte.

Depois de ter derrotado os exércitos da Áustria e da Sardenha, ele marchou para Turim, levando à cessão de Nice e Savoia para a França. No ano seguinte, terminou de expulsar os austríacos da Itália. Em seguida, instalou uma série de governos fantoches nas regiões da Itália e saqueou os tesouros artísticos do país.

Bonaparte cruzando o
Grande São Bernardo,
óleo sobre tela,
Jacques-Louis David,
1802, Palácio
de Versalhes

O Diretório, que governava a França na época, pediu-lhe que invadisse a Inglaterra. Em vez disso, ele propôs tomar o Egito como preparação para a conquista da Índia Britânica. Em 19 de maio, içou âncoras com 35 mil homens, desembarcando em Alexandria. Tendo concordado com a preservação da lei islâmica, reestruturou o governo egípcio.

Mas, em 1º de agosto de 1798, os britânicos, sob o almirante Nelson, destruíram sua frota na Batalha do Nilo, isolando-o da França, e, em março do ano seguinte, ele foi derrotado na Síria por um exército turco sob comando britânico.

A essa altura, o exército francês era assolado pela peste e, em agosto, Napoleão abandonou seus homens e fugiu de volta para a França. Ele chegou em 14 de outubro e se juntou a um golpe de Estado contra o Diretório desferido em 9 de novembro, tomando o poder como um de três cônsules, com poderes para contratar e demitir membros do Conselho de Estado, oficiais de governo e juízes. Ele rapidamente consolidou sua posição como governante absoluto da França.

Naquela época, Napoleão ainda mantinha alguns ideais progressistas. Ele melhorou a educação, estimulou a indústria, reestruturou a dívida pública e consolidou as leis no Código Napoleônico. No entanto, reintroduziu o catolicismo romano como a religião do Estado, começou um programa de construção tendo a Roma imperial como modelo e amordaçou a imprensa. Napoleão mantinha o controle usando sua polícia secreta e uma rede de espiões.

Ele venceu os austríacos novamente na Batalha de Marengo, assinou um tratado de paz com a Inglaterra e, em 2 de agosto de 1802, foi proclamado primeiro-cônsul vitalício. Mas isso não era o bastante. Ele anexou a Savoia-Piemonte, ocupou a República Helvética (atual Suíça) e os Países Baixos e enviou um exército para retomar o Haiti, que declarara independência em uma revolta de escravos.

Enquanto isso, buscou isolar a tradicional inimiga Inglaterra restringindo seu comércio, o que levou à guerra em maio de 1803, quando reuniu um exército de 170 mil homens prontos para invadi-la. Ele usou a descoberta de um complô para assassiná-lo a fim de estabelecer uma dinastia hereditária. O papa foi chamado em Roma para coroá-lo imperador da França, mas, chegado o momento, Napoleão tomou a

O imperador Napoleão em seu escritório nas Tulherias, óleo sobre tela, Jacques-Louis David, 1812

coroa e coroou a si mesmo, coroando Josefina em seguida. No ano seguinte, foi coroado rei da Itália e instalou membros de sua família e da de Josefina em vários tronos europeus.

Em 21 de outubro, sua frota foi fragorosamente derrotada por sua velha inimiga, a Marinha Real britânica, na Batalha de Trafalgar (próximo ao sudoeste da Espanha), acabando com qualquer possibilidade de invasão da Inglaterra. Em 13 de novembro ele tomou Viena e, em 2 de dezembro, acabou com os austríacos na Batalha de Austerlitz. O tratado de paz adicionou Veneza e a Dalmácia ao reino italiano de Napoleão.

Em 12 de julho de 1806, ele tomou sob sua proteção os Estados germânicos do velho Sacro Império Romano, formando a Confederação do Reno, e derrotou os prussianos definitivamente em Auerstadt e Jena em 14 de outubro, tomando todas as terras entre o Reno e o Elba.

Seguiu-se uma guerra com a Rússia, terminada com a vitória de Napoleão na Fridlândia, após a qual ele assumiu o controle da Polônia. Agora apenas os ingleses o separavam da dominação total do continente europeu.

Incapaz de derrotar a Inglaterra no mar ou invadi-la, ele tentou um bloqueio. Mas os portugueses – aliados de longa data dos ingleses – se recusaram a aderir. Napoleão marchou sobre a península Ibérica. O ditador forçou o rei Carlos IV e seu filho Ferdinando VII a abdicar em 5 e 6 de maio de 1808 e instalou seu irmão, José Bonaparte, no trono espanhol.

Quando a Inglaterra foi em auxílio de Portugal, arrastando Napoleão para a Guerra Peninsular, as colônias latino-americanas dos países ibéricos aproveitaram a oportunidade para declarar independência.

Quando a imperatriz Josefina se mostrou incapaz de dar-lhe um herdeiro, Napoleão se divorciou dela e casou-se com a princesa Maria Luísa, filha do imperador da Áustria. Ela lhe deu um filho, que foi nomeado rei de Roma, mas nunca reinou.

Na Guerra Peninsular, Napoleão se viu perdendo para o duque de Wellington. Sua resposta foi intensificar o embargo comercial. Quando a Rússia se recusou a aderir, Napoleão invadiu, derrotando os russos na Batalha de Borodino, de 7 de setembro de 1812. Uma semana depois, ele chegava a Moscou, apenas para encontrá-la deserta e em chamas. Com a chegada do inverno russo, Napoleão não teve alternativa a não ser recuar, sob ataques constantes do exército russo, mais acostumado às condições extremas. Napoleão fugiu novamente, deixando seu exército à mercê do destino. A maioria de seus soldados nunca voltou da Rússia.

De volta a Paris, Napoleão reuniu um novo exército, que derrotou os russos e os prussianos em Lützen e Bautzen, em maio de 1813. Mas ele foi derrotado na Batalha das Nações, em Leipzig (de 16 a 19 de outubro). Forças da coalizão invadiram a França no ano seguinte e, em 13 de março de 1814, tomaram Paris. Napoleão abdicou em 6 de abril e foi exilado na ilha de Elba, próxima à Itália, então sob controle britânico.

Ele escapou, desembarcando novamente na França, em Cannes, em 1º de março de 1815. O exército o apoiou, mas agora Napoleão tinha contra si as forças combinadas de Inglaterra, Prússia, Áustria e Rússia. Ele decidiu lutar primeiro contra seu inimigo, o duque de Wellington. Eles se encontraram em Waterloo em 18 de junho de 1815. Napoleão atrasou o ataque naquela manhã para permitir que o campo secasse para sua cavalaria, uma decisão que se mostraria fatal, dando tempo para que reforços prussianos sob Gerhard von Blücher chegassem em cima da hora e o derrotassem.

Dessa vez, ele foi exilado em Santa Helena, uma remota ilha britânica no Atlântico sul, onde escreveu um livro de memórias para assegurar sua lenda.

Ele morreu em 5 de maio de 1821, oficialmente de câncer no estômago, apesar de poder ter sido envenenado, proposital ou acidentalmente, já que o arsênico era um remédio popular na época. Apesar de Napoleão ter sido honrado, ele foi tão descuidado com a vida dos jovens franceses que a população do país se manteria baixa pelas décadas seguintes.

LUDOVICO I E LUDOVICO II
CASTELOS NO AR

1786-1868, 1845-1886   REIS DA BAVIERA

Ludovico I, rei da Baviera, era um autocrata que, ignorando os protestos dos súditos, gastava seu dinheiro com belas-artes e arquitetura. Era um erudito e um poeta. Como um jovem príncipe, ajudara a escrever a Constituição liberal bávara de 1818. Ao ascender ao trono, em 1825, enviou arqueólogos para a Grécia e a Itália atrás de esplendores do mundo antigo. Por outro lado, mandou o poeta Heinrich Heine para o exílio após um desentendimento artístico.

O chanceler conservador austríaco Klemens Furst von Metternich tinha suas preocupações com o monarca de esquerda. Assim, Metternich encorajou os jesuítas a ir para a Baviera e, enquanto Ludovico escrevia seus nada memoráveis versos, eles levaram o país de volta à Idade Média. Apesar de seus sentimentos liberais, Ludovico não chegou a se opor. Como romântico, o período medieval tinha para ele forte apelo. Então, em 1846, aos 60 anos, ele se apaixonou por Lola Montez, uma dançarina espanhola que escandalizara a Europa.

Mas Lola não era espanhola. Ela nascera Eliza Gilbert em Limerick, Irlanda. Quando a mãe tentou casá-la com um juiz de 60 anos, ela fugiu com um oficial do exército britânico, certo capitão James, estacionado na Índia. O casamento foi um desastre e o marido fugiu com a esposa de um ajudante. No navio de volta, ela conheceu um capitão Lennox. Depois de terem atracado em Londres, entraram juntos no Hotel Imperial. O resultado foi o espetacular caso de divórcio James *vs.* Lennox, noticiado no *The Times* em 7 de dezembro de 1842.

Agora despossuída, Eliza resolveu tornar-se atriz e se inscreveu em uma escola de teatro. Mas era tão ruim que foi convencida a tentar a dança. Em junho de 1843, ela apareceu no palco do Teatro Haymarket, em Londres, vestida como dançarina de flamenco e se apresentando como Doña Lola Montez. Doña Lola parecia saber poucos passos de sua Andaluzia natal, mas sua figura impressionava.

Em Dresden, em 1844, ela conheceu o pianista e compositor húngaro Franz Liszt e passou a persegui-lo pela Alemanha. Mais de uma vez ele a teria encontrado nua em sua cama ao voltar de uma apresentação. Ela apareceu sem ser convidada ao jantar de gala que se seguiu a um concerto em memória de Beethoven em Bonn, cujos convidados de honra eram o rei Frederico Guilherme IV e sua rainha, e exigiu entrar, dizendo ser "uma convidada de Liszt". Uma vez lá dentro, subiu em uma mesa e deu uma desinibida demonstração de seu talento como dançarina. Os convidados, chocados, fugiram do salão de festas.

Ela se insinuou para Richard Wagner, que a recusou, mas enfeitiçou brevemente Alexandre Dumas. Outro amante, um jornalista chamado Dujarier, foi morto em um duelo por sua mão. No julgamento que se seguiu, Lola disse à corte que deveria ter tomado o lugar de seu amante no campo de honra, pois atirava melhor.

Absorto nos livros, Ludovico I ignorava tudo isso quando, em 1846, Lola tinha uma apresentação agendada em Munique. Ludovico ficou encantado com a dançarina e, cinco dias depois de tê-la visto no teatro, a apresentou à corte como "conselheira pessoal", descrevendo-a como sua "sultana". Em um mês, comprara para ela uma casa em Munique e fizera dela a condessa de Landsfeld.

Lola começou a se meter na política. Liberal por natureza, ela alegava, ter inspirado o levante de Var-

Ludovico I, rei da Baviera, em meados de 1860, em fotografia feita por Franz Hanfstaengl

sóvia de 1830. Apesar de isso ter pouca ou nenhuma relação com a verdade, ela lembrava a Ludovico as paixões liberais de sua juventude.

Por causa de seus sentimentos liberais, ela pediu a Ludovico que desse liberdade à imprensa. Os jornais aproveitaram imediatamente a chance de noticiar os detalhes de seu caso escandaloso com o rei, publicando charges como a dele batendo em seu traseiro desnudo. Enquanto isso, os jesuítas declaravam que Lola era a "meretriz da Babilônia" do Livro das Revelações.

À medida que se tornava mais impopular entre os bávaros, ela empregava um bando de jovens liberais radicais para protegê-la. Dizia-se que ela os usava como um harém masculino.

Após dois anos de Lola, a Baviera se tornara um vulcão. Em 1848, houve levantes populares em Berlim, Viena, Paris, Roma, Nápoles, Milão, Praga e Budapeste. Quando estudantes fizeram barricadas nas ruas de Munique, Ludovico viu o desastre que se aproximava e baniu Lola. Não foi o bastante para salvá-lo e ele foi obrigado a abdicar em favor de seu filho, Maximiliano II.

Lola fugiu para a Suíça, levando algumas joias. De volta à Inglaterra, ela se casou com um jovem e abastado oficial da guarda, chamado George Heald, 12 anos mais novo. O casal se mudou para a Espanha, onde ela rapidamente acabou com sua fortuna. Lola voltou a Londres para faturar com sua fama na peça *Lola Montez na Baviera*. Depois disso, foi para a América, onde se casou com um jornalista na Califórnia. Aos 40 anos, ela estava pobre. Ela se mudou para um albergue administrado pelos jesuítas no distrito nova-iorquino de Hell's Kitchen, onde morreu de sífilis, aos 43 anos.

Maximiliano governou a Baviera até sua morte, em 1864, quando Ludovico II subiu ao trono. Um autocrata nos moldes de seu avô, ele também se via como patrono das artes e começou uma associação escandalosa com Wagner, que, na época, tinha um caso com Cosima Liszt e estava prestes a ser preso por dívidas.

Em sua posse, Ludovico, então um belo rapaz de 19 anos, convocou Wagner a Munique. O rei o instruiu a terminar seu *O anel dos nibelungos* e esquecer suas preocupações com dinheiro. Quando Wagner se curvava em gratidão, o rei se ajoelhou, abraçou o compositor e jurou-lhe fidelidade eterna.

Ludovico enchia Wagner de presentes caros – anéis de diamantes, tecidos finos, ornamentos preciosos, móveis caros e pinturas e bustos dele próprio. Wagner retribuía com poesia bajuladora. Em suas cartas, se chamavam de "Amado", "Personificação da minha Felicidade", "Bondade Suprema", "Fonte de Luz em Minha Vida", "Meu Tudo", "Salvador da Minha Felicidade".

Em Munique, as intermináveis audiências privadas de Wagner com Ludovico deram origem a boatos, agravados pelo fato de o compositor ser protestante e notório revolucionário. Com toda a conversa de Wagner sobre Sigfried, Brunilda e as alegrias de Valhalla, o instável Ludovico começou a perder a noção da realidade.

A influência de Wagner sobre o rei passara dos limites e o compositor foi forçado a deixar a Baviera, por ordem do próprio Ludovico, que se consolou construindo castelos magníficos. O primeiro foi o neogótico Neuschwanstein, modelo para vários castelos de contos de fadas, decorado com cenas das óperas de Wagner.

Após 22 anos de reinado, os planos de construção extravagantes de Ludovico quebraram o país. Em 1886, foi declarado insano, apesar de o historiador Ghislain de Diesbach ter dito que ele era meramente "um excêntrico e misantropo que detestava a condição humana enquanto permanecia desesperadamente ligado a ela". Forçado a abdicar, Ludovico se afogou no lago Starnberg.

Ludovico II levou o país à falência e, declarado insano, foi forçado a abdicar

AGUSTÍN DE ITURBIDE
UM BREVE IMPÉRIO

1783-1824 — **DITADOR DO MÉXICO**

No início do século XIX, quando o México lutava por sua independência da Espanha, o líder revolucionário Miguel Hidalgo y Costilla ofereceu ao experiente oficial do exército Agustín de Iturbide uma posição de comando nas forças rebeldes. Em vez disso, ele aceitou uma indicação do vice-rei para liderar as tropas monarquistas contra os insurgentes.

Ele sufocou a revolta camponesa, capturando e executando seus líderes. O uso de violência desnecessária e as acusações de extorsão pesaram contra ele, resultando em sua destituição. Contudo, após um golpe de Estado liberal na Espanha, Iturbide recebeu o comando do exército e rapidamente se entendeu com os insurgentes. O resultado foi o Plano de Iguala, publicado em 1821, que estabeleceu a independência do México, ainda que sem as reformas sociais pretendidas por Hidalgo. Como chefe de um governo provisório ultraconservador, Iturbide passou a agir de maneira ditatorial. Quando não se encontrou nenhum príncipe da dinastia Bourbon para aceitar a coroa do México, Itubirde coroou a si mesmo como imperador Agustín I.

Governante arbitrário e extravagante, ele logo conseguiu a inimizade do povo mexicano. Não demorou para que um exército revolucionário fosse a campo, sob o comando de Antonio López de Santa Anna. Em 1823, Iturbide foi forçado a abdicar e se exilar na Itália e, depois, na Inglaterra. O Congresso o declarou traidor e fora da lei, proibindo seu retorno ao México. Desconhecendo o decreto, Iturbide voltou ao país em 1824. Ele foi capturado, julgado e executado. Mesmo com seus meios despóticos, ele foi considerado o pai da independência mexicana pelos conservadores e pela Igreja Católica e, em 1838, um governo conservador levou seu corpo para a Catedral do México.

Retrato de Agustín de Iturbide, *óleo sobre tela*, autor desconhecido, séc. XIX, Museu de História Mexicana

COLECCIÓN MUSEO DE HISTORIA MEXICANA

JUAN MANUEL DE ROSAS
MILICIANO DOS PAMPAS

| 1793-1877 | **DITADOR DA ARGENTINA** |

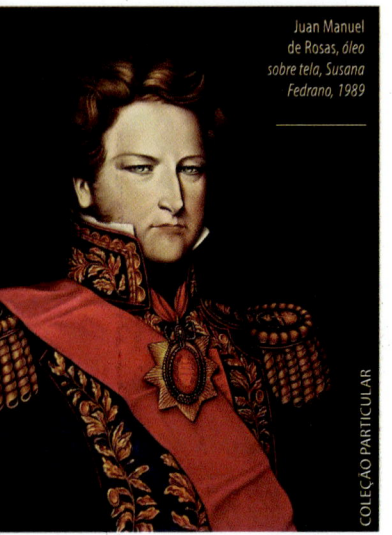

Juan Manuel de Rosas, óleo sobre tela, Susana Fedrano, 1989

COLEÇÃO PARTICULAR

Rosas nasceu em uma família abastada que possuía algumas das maiores fazendas de gado dos pampas. Quando adquiriu as próprias terras, cercou-se de um exército de "gaúchos" – chamado "Los Colorados Del Monte" – para proteger dos índios sua propriedade.

Em 1820, o governador de Buenos Aires, coronel Manuel Dorrego, indicou Rosas para chefiar a milícia daquela província. Depois da queda de Dorrego, em 1828, Rosas, um federalista, fez oposição ao novo governador, Juan Lavalle, e em 1829 foi eleito governador. Ao final de seus três anos de mandato, ele renunciaria ao poder. Contudo, sua liderança firme o fizera muito popular. Em 1835, convidado a retornar ao posto de governador, concordou, sob a condição de que recebesse poderes ditatoriais. Pelos 17 anos seguintes, governou o país lançando mão de tropas e de sua polícia secreta (a Mazorca) para aniquilar quaisquer opositores. Chegou a ordenar que seu retrato fosse exposto em igrejas e locais públicos, como demonstração de sua autoridade absoluta.

Ao final, os exércitos do Brasil e do Uruguai uniram-se a dissidentes argentinos sob o comando de Justo José de Urquiza, o poderoso governador da província vizinha de Entre Ríos, e derrotaram Rosas na Batalha de Monte Caseros, em 1852.

Resgatado pela Marinha Real Britânica, Rosas foi levado à Inglaterra, onde se tornou fazendeiro no condado de Hampshire, enquanto Urquiza assentava as bases para uma Constituição federal que tornou a Argentina um país unificado.

SHAKA
O ESMAGAMENTO

| C. 1787-1828 | **CHEFE DOS ZULUS** |

Filho ilegítimo do chefe zulu Senszangakona, Shaka foi expulso da tribo junto com a mãe, Nandi, do clã Langeni, que os zulus consideravam inferior. Até seu nome era um insulto: "*iShaka*" era um parasita intestinal que, acreditava-se, era responsável por irregularidades menstruais e, segundo os anciãos zulus, fora a verdadeira causa da gravidez de Nandi. Aos 16, Shaka ficou sob a proteção de Dingiswayo, rei dos mtetwas, e treinou em seu exército. Quando Senszangakona morreu, Shaka voltou ao povo zulu – que então somava apenas 1.500 pessoas – como chefe. Aqueles que haviam expulsado a ele e sua mãe acabaram empalados nas estacas afiadas das cercas dos *kraals* (a paliçada africana).

Shaka Zulu, gravura, anônimo, séc. XIX

Ele reorganizou seu exército, introduzindo a famosa formação com forma de chifre de touro e treinando seus homens a correr descalços por até 50 milhas por dia. A insubordinação levava imediatamente à morte. Depois disso, voltou-se à destruição de todas as tribos ao redor, integrando quaisquer sobreviventes à nação zulu, que, em um ano, quadruplicara de tamanho. Quando Dingiswayo morreu, Shaka tomou o Império Mtetwa, trazendo para a África a doutrina da "terra arrasada" ao iniciar o Mfecane (Esmagamento), riscando do mapa, arbitrariamente, clãs ao longo do planalto de Natal. A devastação tornou parte da região desabitada.

A nação zulu aumentou para 250 mil pessoas. Com um exército de 40 mil, ocupava um território que ia da colônia do Cabo até a atual Tanzânia. Estima-se que, na criação desse império, Shaka tenha matado mais de 2 milhões de pessoas, por vezes em execuções em massa.

Em 1827, sua mãe morreu. Em sua aflição, Shaka causou a morte de mais de 7 mil zulus. Não houve plantio por um ano e o leite, uma das principais fontes de alimentação dos zulus, foi banido. A castidade forçada derrubou o moral do exército de Shaka. Quando foram enviados cada vez mais longe de casa para encontrar terras para conquistar, rebelaram-se. Dois dos meios-irmãos de Shaka, Mhlangana e Dingane, o assassinaram. Ele morreu pedindo clemência e foi enterrado em uma cova anônima próxima à vila de Stanger, em Natal.

HUNG HSIU-CH'UAN
INSPIRAÇÃO "DIVINA"

1814-1864 | **SENHOR DA GUERRA DA CHINA**

Em um longo delírio, Hung afirmou ter se encontrado com Deus e converteu-se ao cristianismo. Sua missão, dizia, era expulsar os "demônios" – isto é, os governantes manchus – da China. Ele se juntou a uma seita chamada Sociedade dos Adoradores de Deus. Em 1851, eles capturaram a cidade de Yung-an e Hung proclamou uma nova dinastia, o *Taiping Tienkuo* (Reino Celestial da Grande Paz), do qual ele era o *Tien Wang* (Rei Celeste).

Hung formou um exército de mais de 1 milhão de homens e mulheres – que não podiam entrar em contato uns com os outros. Mesmo os casados eram proibidos de manter relações sexuais, apesar de o próprio Hung passar bastante tempo em seu harém.

Em 1853, o exército de Hung capturou a grande cidade de Nanquim. Quando o ministro Yang Hsiu-ch'ing desafiou sua autoridade absoluta, foi assassinado. Hung se recusava a ouvir seus generais, preferindo, em vez disso, buscar orientação divina. Ele se negava a provisionar suprimentos para o caso de um cerco, dizendo que Deus proveria. Em 1º de junho de 1864, ele se suicidou e, em 19 de julho, Nanquim caiu. Mais de 100 mil pessoas foram mortas pelas tropas manchus, mas acredita-se que mais de 20 milhões tenham perdido a vida nos 14 anos da Rebelião de Taiping.

FERDINANDO II
O "REI BOMBA"

| 1810-1859 | REI DE NÁPOLES E DA SICÍLIA |

Quando Ferdinando ascendeu ao trono das Duas Sicílias – isto é, Nápoles e Sicília –, em 1830, reverteu as políticas tirânicas de seu pai, libertou presos políticos e instituiu reformas. Entretanto, ele foi gradualmente se tornando mais autoritário, reprimindo brutalmente algumas revoltas.

Em 1848, a revolução espalhava-se pela Itália e houve um levante bem-sucedido em Palermo. A comoção em Nápoles forçou Ferdinando a assinar uma Constituição, mas, quando seu exército derrotou os rebeldes napolitanos, ele a rasgou e se dedicou a retomar a Sicília. O pesado bombardeio de cidades da ilha rendeu-lhe o apelido de "Rei Bomba". Na Inglaterra, William Ewart Gladstone descreveu seu reino tirânico como "a negação de Deus erigida a sistema de governo". Pouco depois de sua morte, em 1859, as Duas Sicílias foram incorporadas à Itália unificada.

FRANCISCO SOLANO LÓPEZ
EL MARISCAL

| 1827-1870 | PRESIDENTE DO PARAGUAI |

Francisco Solano López era filho de Carlos López, sucessor do dr. Francia na ditadura paraguaia – e seria mais prejudicial para aquela nação que seus antecessores. López Júnior sempre fora fã de outro baixinho – Napoleão –, e sua história de ninar preferida era *El catecismo de San Alberto*, um relato da repressão selvagem da insurreição de Tupac Amaru II, o último descendente dos imperadores incas, que, depois de ser forçado a assistir às execuções da esposa e filhos, foi mutilado, arrastado, esquartejado e decapitado.

Ele era baixo e gordo e, como Carlos, tinha uma preferência por uniformes extravagantes. "Seus olhos, quando satisfeito, tinham uma expressão suave; mas, quando estava nervoso, a pupila parecia se dilatar até que não parecesse mais a de um humano, mas a de um animal selvagem", escreveu o embaixador Washburn, de maneira nada diplomática. O diplomata descreveu Francisco, com quem claramente não simpatizava, também como um "deflorador licenciado", alguém que tinha gosto por virgens aristocráticas.

Uma mulher chamada Pancha Garmendhia – conhecida como a "joia de Assunção" – resistiu a ele, já que seu pai havia sido morto pelo dr. Francia. Durante a Guerra do Paraguai, Francisco a deixou ser presa e acorrentada.

Em dado momento, seu pai, Carlos, decidiu que seria bom que Francisco saísse um pouco do Paraguai. Ele deu dinheiro para o filho e o mandou para a Europa a fim de aprender o ofício das armas e comprar armamentos e equipamentos para a marinha.

Em Paris, ele atraiu a atenção de uma cortesã de 18 anos chamada Eliza Lynch. Ele prometeu transformá-la na "imperatriz da América do Sul". Francisco e Eliza viajaram pela Europa. Quando voltaram ao Paraguai,

Estátua do Nero do século XIX, *charge*, reprodução de original de Angelo Augustini 1865-1870, Bibioteca Nacional

no entanto, ela foi esnobada pelas velhas famílias espanholas como uma "prostituta irlandesa". Ela também ficou chocada com Assunção, que não era nada perto de uma capital imperial. Contudo, sob sua influência, Francisco construiu uma nova alfândega, uma biblioteca nacional, um arsenal e uma estação de trem com a linha férrea.

Depois de ter fortalecido o exército, quando seu pai morreu, foi proclamado presidente pelo Congresso, que reconheceu ainda Eliza como primeira-dama. López não deixou espaço para a oposição, e os poucos que se opunham a ele poderiam ser presos a qualquer momento ou mortos pelos lanceiros fiéis a "El Supremo". Após uma série de desencontros diplomáticos e erros estratégicos em torno do status do território uruguaio, López invadiu o Brasil, ato seguido por uma incursão em território argentino. Argentina e Brasil uniram forças com o Uruguai em uma tríplice aliança contra o Paraguai.

O país foi bloqueado e logo os paraguaios estavam passando fome. Qualquer revés militar era visto como deslealdade e punido com tortura e execução. Nas "matanzas de San Fernando", nem mesmo seu irmão e ex-secretário Benigno foi poupado, sendo executado com centenas de outros prisioneiros. Ele ficou cada vez mais paranoico, enxergando conspirações em todos os lugares.

Após três anos de guerra, a marinha brasileira forçará a passagem pelo forte de Humaitá e Francisco fora obrigado a recuar. Assunção foi evacuada e a população, conduzida para o interior. Muitos morreram de fome.

Em 1º de março de 1870, os brasileiros, comandados pelo marido da princesa Isabel, o conde D'Eu, alcançaram a coluna em fuga em Cerro Corá, no remoto nordeste do país. Francisco foi pego cruzando um córrego. Foi baleado e morto. Mais de 1 milhão de pessoas morreram na guerra, fazendo dela a maior das Américas. Quase toda a população masculina do Paraguai foi dizimada.

Eliza cavou com as próprias mãos os túmulos de Francisco e de seu filho mais velho, que morreu defendendo a mãe. Ela voltou à Europa e morreu em Paris, em 1881, sendo enterrada no cemitério Père-Lachaise.

Em 1961, o então ditador do Paraguai, general Alfredo Stroessner, quis trazer o corpo de Eliza Lynch para Assunção. Stroessner declarou Eliza uma heroína nacional e planejou sepultá-la ao lado de Francisco no Panteão dos Heróis. Mas, no último momento, a Igreja Católica se opôs, já que os dois não haviam se casado. Em 1º de março de 1970, no centésimo aniversário da derrota paraguaia na Guerra da Tríplice Aliança, os restos de Eliza foram enterrados com a devida cerimônia no cemitério nacional da Recoleta.

TEODORO II, DA ETIÓPIA
INIMIGO DOS BRITÂNICOS

C. 1818-1868   IMPERADOR DA ETIÓPIA

Nascido Ras Kassa, ele mudou seu nome para Tewodros – Teodoro, em português – em 1855, quando unificou a Etiópia e se tornou seu imperador. Na época, ele foi visto por muitos como o Pedro, o Grande, etíope, tanto por seu temperamento explosivo e crueldade quanto por sua habilidade política.

Teodoro, de fato, introduziu reformas, como a abolição da escravidão, mas também buscou minar o poder da Igreja etíope e da nobreza, para que fosse ele o foco da lealdade do povo. Para isso, ele precisava de um exército com armas modernas e, para tanto, fez com que estrangeiros que viviam no país fabricassem canhões. Mais tarde, armeiros foram trazidos da Inglaterra.

Quando um engenheiro britânico foi morto, Teodoro trucidou selvagemente os culpados, mas as relações com a Inglaterra esfriaram. Quando uma carta que escrevera à rainha Vitória ficou sem resposta, sentiu-se insultado e começou a perseguir missionários e oficiais britânicos. Ele passou também a torturar e assassinar os próprios seguidores. Uma força expedicionária britânica sob o comando do general *sir* Robert Napier, reforçada por nobres sem posses, derrotou as tropas de Teodoro em Magdela, em 10 de abril de 1868. Ele se matou três dias depois, usando uma pistola que a rainha Vitória lhe mandara de presente alguns anos antes.

LEOPOLDO II
TIRANO DAS TREVAS

1865-1909 — **REI DA BÉLGICA**

A Bélgica se estabeleceu como nação só em 1831 e, por isso, começou tarde a corrida para formar um império. No entanto, seu segundo rei, Leopoldo II, era um homem ambicioso. Assim como o resto da Europa, ele se voltou para a África.

Leopoldo II pagou a Henry Morton Stanley – que resgatara o dr. Livingstone – para explorar o rio Congo, levando ao estabelecimento do Estado Livre do Congo, sob soberania pessoal de Leopoldo, em 1885. Mas relatos das atrocidades lá cometidas em nome do monarca chocaram o mundo e o próprio Estado belga, que em 1908 forçou Leopoldo a abrir mão do controle privado que tinha sobre o país.

A colônia era rica em marfim, mas ainda mais rica em "marfim negro" – escravos. Apesar de os britânicos terem proibido a escravidão em 1833 e enviado a Marinha Real ao Atlântico para interromper o tráfico ocidental, o tráfico para o Oriente ainda florescia. Com efeito, o tráfico de escravos só foi declarado ilegal na península Arábica em 1970. Apesar de Leopoldo publicar decretos antiescravagistas, nomeou Tippu Tip, um traficante de escravos de Zanzibar, governador da província oriental do Congo, "comprando" assim a "liberdade" de milhares dos escravos de Tippu Tip, que foram conscritos na Force Publique, a milícia congolesa.

Há o relato de uma testemunha ocular sobre como era ser escravizado pelos homens de Leopoldo. Vem de uma mulher chamada Ilanga, que contou a um jornalista americano: "Um grupo enorme de soldados chegou à vila, percorreu as casas e arrastou as pessoas para fora. Três ou quatro vieram à nossa casa e agarraram a mim e a meu marido, Oleka. Estávamos todos chorando, pois sabíamos que seríamos levados como escravos. Os soldados nos bateram com os canos de ferro de suas armas e nos forçaram a marchar para o campo de Kibalanga. Quando estávamos todos reunidos – havia muitos de outras vilas que não conhecíamos, e muitos de Waniendo –, saímos marchando muito depressa. Meu marido foi obrigado a carregar uma cabra. Marchamos até a noite, quando acampamos próximo a um riacho. Ficamos felizes de podermos beber água ali, pois estávamos com muita sede. Mas os soldados não nos deram nada para comer...

Leopoldo II em foto de meados de 1900: milhares de casos de atrocidades e mortes em seu nome

No dia seguinte, continuamos a marcha e, quando acampamos ao meio-dia, nos deram um pouco de milho e bananas-da-terra, vindas de uma vila abandonada das proximidades – as pessoas haviam fugido. Continuamos assim por cinco dias. Meu marido, que marchava atrás com uma cabra, não conseguia mais ficar de pé. Então, ele se sentou ao lado da estrada e se recusou a andar mais. Os soldados bateram nele, mas ainda assim ele se recusou a sair do lugar. Então, um deles bateu em sua cabeça com a coronha do rifle e ele caiu estatelado ao chão. Um dos soldados pegou a cabra, enquanto outros dois ou três enfiaram as longas facas que tinham no cano de suas armas no meu marido".

Mais tarde, Leopoldo ordenou que as crianças fossem separadas dos pais e organizadas em três colônias infantis, onde aprenderiam o cristianismo e seriam treinadas como soldados. Contudo, os missionários e as colônias disseram que só aceitariam órfãos. A Force Publique usou a desculpa para dizimar os pais. Milhares morreram. De uma coluna de 108 meninos em uma marcha forçada para uma colônia estatal em Boma, em 1892, apenas 62 chegaram ao destino. Esses locais eram empesteados de doenças, com uma taxa de mortalidade de 50%. Ainda assim, alguns sobreviveram para se tornar soldados.

Na década de 1890, houve um *boom* na indústria da borracha – e o Congo estava cheio de borracha selvagem. No entanto, seria necessária uma grande mão de obra para fazer a exploração, e métodos brutais de recrutamento foram empregados. Segundo o vice-cônsul britânico, "a Force Publique chegava em canoas às vilas, cujos habitantes invariavelmente saíam correndo assim que os avistavam. Os soldados desembarcavam e começavam a saquear, pegando todas as galinhas, grãos etc. das casas. As mulheres eram mantidas como reféns até que o chefe do distrito trouxesse a quantidade determinada de quilos de borracha. Obtida a borracha, as mulheres eram vendidas de volta aos seus donos por algumas cabras cada uma."

Esse método de obtenção de borracha era recomendado pelos manuais oficiais distribuídos na África. Uma vez que o sistema estava em funcionamento, cada vila tinha uma cota, normalmente de três a quatro quilos de borracha seca por adulto, por quinzena. Centenas de milhares de homens foram alistados dessa forma. Eles eram supervisionados pela Force Publique, que construía entrepostos ao longo das áreas em que havia borracha. Homens tinham de carregar pesados fardos de borracha por quilômetros para entregá-los aos agentes da companhia e eram pagos com bugigangas ou algumas colheres de sal.

Quando uma vila resistia, a Force Publique era usada para aterrorizá-la. Às vezes, ela simplesmente atirava em todos para intimidar outras vilas. Outras vezes, métodos alternativos eram utilizados. "Um exemplo era o bastante", explicou o oficial belga Léon Fiévez, em 1894. "Cem cabeças eram cortadas, e a partir daí havia suprimentos na estação… Meu objetivo é, ao final, humanitário. Matei 100 pessoas, mas permiti que outras 500 vivessem."

Leopoldo queria abrir uma ferrovia no país. Dos 540 operários chineses trazidos de Hong Kong e Macau em 1892, 300 morreram trabalhando ou fugiram

Vítima de mutilamento no Congo: recompensa pelo número de mãos decepadas

para as florestas. Centenas de trabalhadores vieram de Barbados. Quando se deram conta de que estavam no Congo, revoltaram-se e os soldados abriram fogo. Doenças tropicais, inanição, falta de abrigo, espancamentos impiedosos, descarrilamentos e explosões de carros cheios de dinamite custaram a vida de quase 2 mil homens nos oito anos de construção do primeiro trecho.

Notícias do que ocorria no Congo começaram a se espalhar. Em 1897, um missionário batista sueco contou em uma reunião em Londres que os soldados da Force Publique eram recompensados pelo número de mãos que traziam. A imprensa inglesa já mirava em Leopoldo. Em 1895, um oficial belga "se atrevera a matar um inglês" – na verdade, a vítima era um irlandês que "virara nativo" e se casara com uma mulher africana. Quando seu negócio de marfim desafiou o monopólio de Leopoldo, a Force Publique foi enviada. Ela enforcou o irlandês, e a imprensa londrina protestou, ultrajada.

Para combater a imagem negativa, Leopoldo criou a Comissão para a Proteção dos Nativos, composta por seis católicos belgas e seis missionários estrangeiros. Mas, de maneira astuta, ele escolheu comissários que moravam tão longe uns dos outros que a comissão só se reuniu duas vezes. Em 1897, ocorreu em Bruxelas a Exposição Internacional. A exibição belga incluía 267 africanos trazidos do Congo, vivendo felizes em uma vila africana montada para eles num parque da cidade. Noventa deles eram membros da Force Publique. Em um jantar de gala, um sargento negro propôs um brinde ao rei Leopoldo.

Roger Casement, um nacionalista irlandês posteriormente executado, trabalhava, então, no Ministério das Relações Exteriores. Enviado ao Congo como cônsul, ele relatou as brutalidades que testemunhou: os soldados não cortavam apenas as mãos de suas vítimas, havia também castrações.

Os relatos de Casement provocaram debate no Parlamento. Jornais de toda a Europa começaram a noticiar as atrocidades no Congo. Emergiam histórias de assassinatos em massa, em que vilas e cidades inteiras eram eliminadas, espancamentos brutais, mutilações, estupros, fome em massa e epidemias de varíola. Ao todo, 10 milhões de pessoas morreram como resultado do reino tirânico de Leopoldo.

A resposta de Leopoldo foi encenar farsas de julgamentos de agentes da borracha belgas particularmente brutais. Sua defesa consistia em afirmar que os nativos eram preguiçosos e que táticas de terror eram necessárias para fazê-los trabalhar. O rei dos belgas parecia estar passando ileso pela tempestade. Até que o monarca de 65 anos de idade assumiu uma prostituta de 16 anos. Isso virou seu povo contra ele e o ridicularizou aos olhos do mundo.

O político e socialista Edmund Morel montou a Associação para a Reforma do Congo com ramos em toda a Grã-Bretanha, e todos os domingos os membros ouviam relatos de atrocidades contados por testemunhas. Este veio de um missionário, o reverendo John Harris: "Em fila, havia 40 jovens macilentos de uma vila africana, cada um carregando sua pequena cesta de borracha. A cota de borracha é pesada e aceita, mas quatro cestas estavam abaixo do requerido. A ordem é brutalmente curta e direta. O primeiro devedor é rapidamente agarrado por quatro fortes executores, que o jogavam ao chão, agarrando suas mãos e seus pés, enquanto um quinto executor se apresenta com um longo chicote de couro de hipopótamo trançado. Freneticamente e sem parar, o chicote desce, e suas pontas afiadas e onduladas cortam fundo na carne – nas costas, ombros, nádegas... O sangue jorra de uma dúzia de lugares. As 100 chicotadas em cada um deixaram quatro corpos inertes, sangrentos e trêmulos na areia do ponto de coleta de borracha".

Morel levou sua campanha até a América; as atrocidades no Congo começaram a ganhar as primeiras páginas. Para tentar conter a onda de críticas, Leopoldo organizou uma nova Comissão de Inquérito composta por três juízes: um belga, um suíço e um italiano. Mas os juízes não conheciam línguas africanas, nem falavam inglês suficiente para conversar com os missionários ingleses e americanos que lideravam a campanha internacional. E mais: o italiano, Giacomo Nisco, havia sido juiz-chefe no Congo. Ele estava convencido da necessidade de disciplina estrita e dera sentenças leves a oficiais belgas considerados culpados de atrocidades.

Ainda assim, eles coletaram 370 depoimentos. Um veio do chefe Iontulu, de Bolima, que fora açoitado, feito refém e obrigado a trabalhar acorrentado. Ele colocou sobre a mesa da comissão 110 gravetos, um para cada membro de sua tribo que havia sido assassinado na busca por borracha. Dividiu os gravetos em quatro pilhas – uma para os nobres da tribo, outra para os homens, a terceira para as mulheres e a última para as crianças. Depois, deu nome a cada um dos gravetos.

As declarações do chefe Iontulu e de outras testemunhas foram tão aterradoras que o governador-geral, o homem nominalmente responsável pelo sistema, cortou a própria garganta. Os comissários voltaram à Europa e redigiram seu relatório. Era devastador. Detalhava uma atrocidade após a outra – surras fatais, matanças a esmo, atos de crueldade sem sentido. Uma mulher que estava fazendo tijolos teve argila enfiada em sua vagina pelo supervisor. E havia páginas e mais páginas sobre a decepação de mãos. Os governos americano e britânico começaram a pressionar a Bélgica, que não controlava o Congo, posse privada de Leopoldo. Mas, por fim, o Congo se tornou parte da Bélgica em 1908 e Leopoldo morreu tranquilamente, no ano seguinte. Nas décadas posteriores, o chamado "Grande Esquecimento" transformou Leopoldo no "rei construtor" pelas obras domésticas. Mas o tempo levaria a infâmia ao nome desse tirano das trevas.

ANTONIO GUZMÁN BLANCO
CAUDILHO PIONEIRO

1829-1899 | **PRESIDENTE DA VENEZUELA**

Antonio Guzmán Blanco, *óleo sobre tela*, Martín Tovar y Tovar, 1880

MINISTERIO DEL PODER POPULAR PARA RELACIONES EXTERIORES, CARACAS

Após ter conquistado sua independência da Espanha, em 1821, a Venezuela logo entrou em um período de guerra civil e foi governada por uma série de caudilhos, dos quais o mais poderoso foi Antonio Guzmán Blanco.

Ele era filho do famoso jornalista e político Leocadio Guzmán, que entrara na rica família Blanco pelo casamento. Antonio ascendeu ao poder pela facção liberal da guerra civil. Ele obteve apoio de caudilhos provinciais e consolidou sua posição ao se tornar um comissário especial de finanças bem-sucedido ao negociar empréstimos de banqueiros londrinos.

Em 1870, ele tomou o controle da Venezuela como líder do movimento Regeneración e, três anos depois, se elegeu presidente constitucional. Contudo, seu governo foi qualquer coisa, menos liberal. Ele amordaçou a imprensa, assassinou seus oponentes políticos e atacou a Igreja, suprimindo comunidades religiosas e confiscando suas propriedades. Ele não fez nada para ajudar os pobres, antes enriquecendo ao obter comissões dos empréstimos que negociou. Enquanto estava em viagem à Europa, em 1889, foi derrubado por um golpe e passou seus últimos anos exilado em Paris.

MWANGA
BRUTAL, SÁDICO E PARANOICO

1868-1903   **KABAKA DE BUGANDA**

Quando Mutesa I de Buganda, atual Uganda, morreu, em 1884, foi sucedido por seu filho Mwanga – o primeiro *kabaka* (rei de Buganda) a assumir o trono sem recorrer a execuções. Esse começo promissor, contudo, durou pouco. Se Mutesa fora instável e dissimulado, Mwanga era brutal, sádico e paranoico – muito embora tivesse astúcia e lampejos de inteligência aguçada. Ainda que inicialmente favorável aos cristãos que seu pai encorajara, Mwanga percebeu que a lealdade deles se dirigia sobretudo ao seu deus – e não a ele – e mudou abruptamente sua forma de atuar. Ao final de seu primeiro ano de reinado, queimara três cristãos vivos. No final de 1885, Mwanga foi o mandante do assassinato de um bispo que vivia nas fronteiras, pois acreditava que ele seria uma ameaça à sua autoridade.

A essa altura, a paranoia e os rompantes de Mwanga o haviam deixado completamente desequilibrado. Ele se voltou contra as comunidades cristãs, tanto católicas quanto protestantes. Sua fúria aumentou, em parte, pelo fato de que muitos de seus pajens reais haviam abraçado a nova fé, mostrando-se, assim, reticentes a suas investidas amorosas. Esses rapazes passaram a ser o foco de sua ira, que logo tomou a forma de uma verdadeira perseguição.

A caça às bruxas foi levada a cabo com uma eficiência brutal. Uma testemunha ocular descreveu a prisão, o julgamento e a execução de um homem chamado Munyaga: "Munyaga implorou que lhe permitissem vestir seu *kansu* (quimono branco usado pelos cristãos bugandenses), com o que concordaram, e levaram-no embora. Após um cruel simulacro de julgamento, ele foi condenado a ser esquartejado e queimado. Seus torturadores cortaram fora um de seus braços e jogaram o membro ao fogo, diante dele. Então eles cortaram fora uma perna, e essa também foi lançada às chamas e, ao final, o pobre corpo mutilado foi lançado na estrutura para ser consumido".

No mesmo dia, outros 32 convertidos foram queimados. Ao saber que todas as vítimas enfrentaram a morte chamando por Deus, Mwanga teria encolhido os ombros e comentado que Deus não deveria estar prestando atenção.

A violenta demência de Mwanga seria sua derrocada. Quando se espalharam os rumores de que cristãos e muçulmanos seriam todos reunidos e executados, membros de ambas as fés atacaram o castelo de Mwanga e o depuseram. Embora ele tenha recuperado o trono, os britânicos o mantiveram sob vigilância cautelosa. Finalmente, em 1899, eles o derrubaram e exilaram em Seychelles, onde ele morreu.

Retrato de Mwanga, rei de Buganda, *Arquivo Colonial de Imagens, Universidade de Frankfurt*

PARTE IV
MUNDO MODERNO

TZU-HSI
A VELHA BUDA

1835-1908 — **IMPERATRIZ–VIÚVA DA CHINA**

Ainda que Tzu-hsi fosse inicialmente uma modesta concubina, acabou por governar a China durante mais de 50 anos, depois que sua beleza chamou atenção do imperador Hsien-feng, a quem ela daria o único filho, Tung-chih. Quando Hsien-feng morreu, Tung-chih só tinha 6 anos. Tzu-hsi, então, governou como regente, reprimindo com brutalidade ímpar as rebeliões de Taiping, de 1853 a 1864, que deixou um saldo entre 30 milhões e 50 milhões de mortes, e de Nien, em 1868.

Quando Tung-chih chegou à maioridade, em 1873, Tzu-hsi recusou-se a ceder o poder. Dois anos depois, ele morreu – dizem alguns que por ação da mãe. Violando todas as leis sucessórias, Tzu-hsi conduziu ao trono Kuang-hsu, primo de 3 anos de Tung-chih, ficando ela própria no posto de regente. Embora sua alcunha oficial fosse "Mãe auspiciosa, ortodoxa, pelos céus abençoada, próspera, plena, brilhantemente manifesta, serena, digna, perfeita, perene, respeitosa, reverenda, idolatrada, grandiosa imperatriz-viúva", era conhecida na Cidade Proibida como "a Velha Buda".

Quando Kuang-hsu chegou à maioridade, em 1899, Tzu-hsi recolheu-se ao seu palácio de verão, que construíra com dinheiro desviado da marinha chinesa. Mas, quando Kuang-hsu começou a instituir reformas, Tzu-hsi organizou um golpe e passou a governar em nome do imperador, a quem impingiu a prisão no próprio palácio. Em 1900, ela encorajou a Rebelião dos Boxers, que pretendia expulsar da China todos os estrangeiros.

Quando tropas europeias massacraram o movimento, ela fugiu de Pequim, mas acabaria sendo forçada a assinar um tratado de paz humilhante, em 1902. No dia anterior à sua morte, em 15 de novembro de 1908, Kuang-hsu foi assassinado, de acordo com o último desejo manifestado por ela.

Tzu-hsi no início dos anos 1900: possível envolvimento na morte do filho

PORFIRIO DÍAZ
TERROR DOS INDÍGENAS

1830-1915 DITADOR DO MÉXICO

Como tantos tiranos, Porfirio Díaz chegou ao poder por meio de uma revolução democrática, mas acabou tornando-se um ditador repressor.

Nascido numa humilde família mestiça, em 1830, no México, Díaz iniciou a vida buscando o sacerdócio, mas abandonou o seminário e entrou para o exército quando eclodiu a guerra com os Estados Unidos, em 1846. Ele viria a se destacar na Guerra da Reforma – uma guerra civil –, entre 1857 e 1860, e em 1861, seria eleito deputado federal pelo estado de Oaxaca.

Na luta contra os franceses, entre 1861 e 1867, ele apoiou os liberais comandados por Benito Juárez. Sua contribuição foi fundamental para o colapso do regime apoiado pela França, que levara ao poder o imperador Maximiliano, e o estabelecimento da república sob a liderança de Juárez. Mas quando Juárez se candidatou à reeleição em 1871, Díaz liderou uma fracassada rebelião.

Ele derrotaria Sebastián Lerdo de Tejada, candidato de Juárez, na eleição de 1876. Apeado do posto em 1880, Díaz foi eleito novamente em 1884 e manteve o poder até 1911. Ele acreditava em crescimento econômico a qualquer preço, o que implicava a marginalização dos pobres e expropriação de terras dos índios, que compunham dois terços da população mexicana. O resultado disso foi o aumento de grupos de bandoleiros, que mais tarde se tornariam guerrilheiros sob o comando de Pancho Villa. Para combatê-los, Díaz estabeleceu a poderosa força policial estatal conhecida como *rurales*, que aterrorizava as comunidades indígenas.

O milagre econômico de Díaz não funcionou. Em 1910, ele enfrentou a concorrência de Francisco Madero, um aristocrata reformista. Quando Díaz fraudou a eleição, Madero organizou um golpe militar. Díaz renunciou em 25 de maio de 1911 e partiu para o exílio na França, onde morreu em 2 de julho de 1915.

KAISER GUILHERME II
PELO PODER ABSOLUTO

1859-1941 IMPERADOR DA ALEMANHA

Nascido em Berlim, em 1859, com o braço esquerdo atrofiado, Guilherme lutou a vida inteira para estar à altura do papel de rei guerreiro que ele acreditava ser exigido dele pelo Estado militar prussiano. Neto da rainha Vitória, Guilherme teve uma criação severa e autoritária. Chegou ao trono em 15 de junho de 1888 e logo entrou em conflito com Otto von Bismarck, o "Chanceler de Ferro" responsável pela unificação da Alemanha, forçando-o a renunciar em 1890. Guilherme queria que o mundo soubesse que seu poder na Alemanha era absoluto, embora fosse basicamente inepto no seu uso e tivesse rapidamente afastado tanto a Grã-Bretanha quanto a Rússia, mesmo sendo primo tanto do rei da Inglaterra quanto do czar.

Militarista por criação e inclinação, acreditava em desenvolver a força do exército alemão e, encorajado pelo almirante Alfred von Tirpitz, em 1900 levantou fundos para erguer uma marinha alemã capaz de rivalizar com a inglesa. Durante a Segunda Guerra dos Bôeres (1899-1902), deu apoio aos colonos holandeses contra os ingleses, mais tarde descrevendo Eduardo VII como "Satã".

Guilherme inspirou seus generais a criar Plano Schlieffen, uma estratégia calcada num ataque fulminante à França por território belga, derrotando qualquer aliança ocidental antes que os russos pudessem se mobilizar ao leste. Contudo, um colapso nervoso em 1908 obrigou o rei a abrir mão de parte do exercício do poder.

Quando o arquiduque austríaco Francisco Ferdinando foi assassinado por um nacionalista sérvio em Sarajevo, em junho de 1914, Guilherme exigiu do Império Austro-Húngaro que punisse a Sérvia, não se dando conta de que uma série de tratados assinados pelas potências europeias significariam que um conflito armado entre Áustria e Sérvia envolveria toda a Europa numa guerra. Quando o Kaiser tentou recuar das consequências de seus atos, seu exército já estava levando a cabo o Plano Schlieffen. O resultado foi a Primeira Guerra Mundial e quatro anos de carnificina impiedosa.

Durante a guerra, Guilherme foi comandante em chefe das forças armadas alemãs, embora fosse basicamente um fantoche. Ele se opôs à exoneração de Erich Falkenhayn como comandante das forças terrestres em 1916, mas Hindenburg assumiria o posto de qualquer forma. Com a perspectiva da derrota, em 1918, o exército se voltou contra ele, e, quando a revolução tomou conta de Berlim, foi forçado a abdicar, em Amerongen, em 28 de novembro de 1918.

Guilherme buscou asilo na Holanda. Passou o tempo escrevendo dois volumes de memórias. Com a ascensão de Hitler, procurou retornar ao trono. O tirano no poder, no entanto, não lhe deu atenção, embora ambos fossem igualmente nacionalistas e militaristas. O Kaiser morreu na Holanda, em 1941.

VLADIMIR ILYICH LENIN
CONTRA OS "INIMIGOS DO POVO"

1870-1924 — LÍDER DA UNIÃO SOVIÉTICA

Nascido Vladimir Ilyich Ulyanov numa família de classe média, ele adotou o pseudônimo Lenin em 1901, depois de ter sido exilado na Sibéria por atividades revolucionárias e de seu querido irmão mais velho ter sido enforcado por conspirar contra o czar.

Trabalhando como dirigente partidário, jornalista e panfletário, Lenin passou a maior parte da vida no exterior, fundando, durante o exílio em Londres, seu Partido Bolchevique, que viria a pressionar por igualdade para as massas, mas também pela ditadura de uma elite revolucionária.

Uma revolução democrática contra o czar já havia ocorrido na Rússia em 1917, quando os alemães permitiram a Lenin que retornasse do exílio na Suíça, na esperança de que ele pudesse tirar a Rússia da guerra. Ele clamou por uma insurreição armada e, na primeira semana de novembro – no calendário juliano, outubro –, promoveu a Revolução de Outubro, derrubando o governo provisório, moderado demais para um período de efervescência.

Sua organização, o Partido Comunista, rapidamente tomou o controle de cada aspecto da vida na Rússia e

Lenin em foto de 1920: coletivização de terras causou milhões de mortes

sua polícia secreta, a Cheka, perseguiu e executou alguns milhares de "inimigos do povo". Em julho de 1918, o czar Nicolau Romanov II e toda a sua família foram fuzilados na Sibéria. Lenin combateu uma dura guerra civil contra as forças anticomunistas, saindo vitorioso em 1921, e então instituiu à força a coletivização de terras, causando uma carestia que matou 6 milhões de pessoas. Morreu em 1924, abrindo terreno para um tirano muito mais sanguinolento – Josef Stalin.

JUAN PERÓN
PELOS DESCAMISADOS

1875-1974   **PRESIDENTE DA ARGENTINA**

Militar de carreira, Juan Perón foi o adido militar da Argentina na Itália dos anos 1930, dominada por Mussolini, onde teve um curso completo de como administrar um Estado fascista.

Em seu retorno à Argentina, em 1941, ele se envolveu com a trama que derrubaria o governo civil dois anos depois. Virou ministro do Trabalho e do Bem-Estar Social na nova administração militar, o que lhe deu a oportunidade de ganhar o apoio dos *descamisados*. Viria a tornar-se ministro da Guerra e vice-presidente.

Em outubro de 1945, Peron, que se tornara forte demais e abrira o governo à influência dos sindicatos, seria detido pelos militares. Mas sua bela amante, a popular atriz Eva Duarte, e os sindicatos de trabalhadores de Buenos Aires exigiram sua

Perón com Evita em meados dos anos 1950

libertação. Solto, ele fez um discurso para 300 mil pessoas da sacada do palácio presidencial, prometendo paz, prosperidade e justiça social. Alguns dias depois, casou-se com Eva – ou Evita, como era conhecida. Em fevereiro de 1946, foi eleito presidente.

Seu apelo para o povo foi amplificado pelo recurso a capangas que intimidavam a oposição. A Argentina havia acumulado grande superávit comercial em moeda estrangeira graças às suas exportações para ambos os lados durante a Segunda Guerra Mundial, e esse dinheiro foi usado para financiar projetos desenvolvimentistas e benefícios para os trabalhadores.

Politicamente, o regime era opressor. Em 1948, inimigos, entre eles dois padres, foram acusados de tramar o assassinato de Perón. Um juiz que se recusou a aceitar provas fraudulentas foi afastado compulsoriamente.

Perón ganhou uma segunda eleição em 1951 por ampla maioria. Mas Evita morreu de câncer no ano seguinte, mergulhando o país no luto. O regime de Perón foi consumido pela inflação. Um golpe o derrubou em 1955, quando veio a público que, enquanto intercedia junto ao papa para beatificar Evita, ele, aos 58 anos, profanava sua memória com uma amante de 14 anos.

Exilado na Espanha, conseguiu manter o controle do movimento peronista encorajando rivalidades entre facções adversárias – que permanecem ainda hoje. Ele se casou com Isabel Martínez, uma dançarina argentina, e o casal retornou à Argentina em 1973, quando eleições foram convocadas. Perón venceu e insistiu para que sua impopular esposa fosse nomeada vice-presidente. Com ajuda do exército, retomou suas táticas de terror, levando esquerdistas a pegar em armas e partir para a guerrilha.

Perón morreu em 1º de julho de 1974. Em 24 de março de 1976, sua esposa, que lhe sucedera, foi deposta. Contudo, o peronismo se manteve incrustado na vida argentina, juntamente com a corrupção e a inflação.

SYNGMAN RHEE
MORTES PELA UNIFICAÇÃO

1875-1965 | **PRESIDENTE DA COREIA**

Durante a ocupação japonesa da Coreia, entre 1910 e 1945, Syngman Rhee estava nos Estados Unidos, promovendo a causa da independência do país. Em 1919, foi eleito presidente do governo provisório da Coreia no exílio. De volta a Seul, em 1945, organizou esquadrões repressores para assassinar ou intimidar rivais políticos. Em 1948, quando fracassou a negociação entre Estados Unidos e União Soviética sobre a reunificação das zonas sul e norte do país, que ambos haviam ocupado, ele permaneceu como presidente da Coreia do Sul.

Quando Kim Il-sung invadiu o país em 1950, ele recebeu ajuda das Nações Unidas. No entanto, Rhee prolongaria os combates na esperança de obter a vitória total.

Rhee foi reeleito em 1952, 1956 e 1960 – neste último ano, com 90% dos votos. Como presidente, assumiu poderes ditatoriais, purgando a Assembleia Nacional, banindo a oposição e executando por traição o seu líder. Controlava também o processo de nomeação de prefeitos de vilarejos e chefes de polícia. A clamorosa fraude eleitoral de 1960 provocou manifestações de estudantes, que foram reprimidas com muitas mortes. Depois disso, uma petição unânime da Assembleia Nacional exigiu a renúncia de Rhee. Em 27 de abril de 1960, ele se exilou no Havaí, onde morreu.

JOSEF STALIN
MÃO DE FERRO

1879-1953 — **LÍDER DA UNIÃO SOVIÉTICA**

Nascido Josef Vissarionovich Dzhugashvili, na Geórgia, Stalin era selvagemente espancado pelo pai bêbado, que morreu quando ele tinha 11 anos. A partir daí, a mãe passou a prepará-lo para o seminário na Igreja Ortodoxa, onde suas posições anticzaristas lhe valeram o apelido Koba, em referência a um famoso bandido e rebelde georgiano. Ele abandonaria o seminário para se tornar um dirigente revolucionário.

Em 1903, Koba se juntou à facção bolchevique, que tinha Lenin como líder. Ele organizou assaltos a banco para financiar o partido, entrando para o Comitê Central em 1912 e adotou o nome Stalin, que significa "homem de ferro". Tornou-se editor do jornal bolchevique *Pravda* (Verdade), mas foi exilado na Sibéria em 1913, retornando a Petrogrado para assumir papel-chave no golpe de Estado comunista de 1917.

Quando Lenin morreu, em 1924, Stalin sucedeu-lhe e, imediatamente, esmagou qualquer sinal de dissidência. Em 1928, Stalin começou um ambicioso Plano Quinquenal para industrializar a Rússia, financiado pela exportação de grãos, e continuou a coletivização de terras, que resultou em fome, em especial na Ucrânia. Aqueles que resistissem, da forma que fosse, eram executados. Estima-se que tenham morrido 25 milhões de pessoas como resultado da coletivização.

Josef Stalin em foto de 1950: infância violenta e abandono de seminário

Em 1934, Stalin organizou o assassinato de Sergey Kirov, seu colega e rival em potencial, e usou-o como pretexto para uma série de julgamentos de fachada nos quais milhares de dirigentes do partido e oficiais militares de alta patente foram considerados culpados de traição e executados. Por volta de 1939, de 1.966 delegados que haviam apoiado Kirov no congresso do partido em 1934, 1.108 estavam mortos. De 139 membros eleitos naquele mesmo ano para o Comitê Central, 98 estavam mortos.

Enquanto isso, Lavrenti Beria, chefe da polícia secreta de Stalin e compatriota georgiano do líder, havia prendido milhões de pessoas comuns, que seriam executadas, exiladas ou aprisionadas em campos de trabalhos forçados.

Já não havia oposição na União Soviética em 1939, mas a extensão dos expurgos enfraquecera a nação. O isolamento levou Stalin a assinar um pacto de não agressão com Hitler. Sob um protocolo secreto, dividiram a Polônia entre si, e Stalin invadiu a Finlândia, enquanto Hitler ocupou a França e os Países Baixos. Quando Hitler achou que era hora de esquecer o acordo, invadiu a União Soviética, em 22 de junho de 1941.

Inicialmente, o Exército Vermelho não pôde e não recebeu ordens para resistir. Após dias de hesitação, Stalin assumiu pessoalmente o controle das forças armadas, nomeando dois brilhantes comandantes, Georgi Zhukov e Ivan Konev. Sem nenhum apreço pela vida humana, Stalin lançou no conflito milhões de homens mal equipados e mal treinados. Lenta e dolorosamente, Zhukov e Konev avançaram rumo a Berlim e à vitória. Zhukov foi recompensado com um posto distante no Oriente, enquanto Konev permaneceu no exterior, como comissário para a Áustria: Stalin não queria sombras na sua imagem de herói da "Grande Guerra Patriótica".

Stalin forçou os países do Leste Europeu e dos Balcãs que o Exército Vermelho havia "libertado" a adotar regimes comunistas repressores. A Europa foi dividida em duas por uma "Cortina de Ferro", nas palavras de Winston Churchill, e a hostilidade entre Leste e Oeste desembocaria na Guerra Fria. Em 5 de março de 1953, Stalin morreu de hemorragia cerebral. Em 1956, seus crimes seriam denunciados pela nova liderança russa.

BENITO MUSSOLINI
IL DUCE

1883-1945 — **DITADOR DA ITÁLIA**

Professor transformado em jornalista socialista, Benito Mussolini foi ferido no traseiro durante a Primeira Guerra Mundial, quando a Itália lutou, ao lado dos aliados, contra a Alemanha. Tendo sido expulso do Partido Socialista por seu apoio à guerra, Mussolini fundou o próprio partido, sob o nome de Fasci di Combattimento – *fasci* evocando o *fasces*, o feixe de varas com um machado que era o símbolo da autoridade na Roma antiga. Embora fosse um partido pró-proletariado e anti-Igreja, era também fanaticamente nacionalista e buscava recriar o poder da Itália dos dias do Império Romano.

Apoiado por industriais e oficiais do exército, Mussolini arregimentou brigadas de *camisas-pretas* uniformizados, que enfrentavam outros partidos políticos nas ruas. Em 28 de outubro de 1922, os *camisas-pretas* marcharam sobre Roma. O governo caiu e o rei Vitor Emanuel concedeu a Mussolini poderes ditatoriais. Ele substituiu a guarda do rei por seus *fascisti*, preencheu o Parlamento com seus homens e estabeleceu uma força policial secreta chamada Ovra.

Embora tenha ficado célebre por fazer os trens cumprirem horários e incentivar a produção industrial por meio da diminuição de impostos, o Duce reprimiu brutalmente as greves. Tomou Corfu da Grécia e o porto de Fiume, ou Rijeka, da Iugoslávia. Em 1924, ocorreram eleições com vários indícios de manipulação. Quando o líder socialista Giacomo Matteotti se pronunciou a respeito, foi encontrado assassinado.

Mussolini fez da Itália um Estado de partido único, com ele próprio como *"Il Duce"* (O Líder). Oponentes foram mortos e sindicatos, proibidos, enquanto um acordo era costurado com a Igreja Católica.

Sonhando com um novo Império Romano, Mussolini invadiu a Abissínia – atual Etiópia – em 1935, envenenando e bombardeando habitantes indefesos e anexando o país em 1936. Ele firmou com Hitler o Pacto de Ferro e deu apoio militar a Franco na Espanha. Em abril de 1939, invadiu a Albânia e, em junho de 1940, aderiu à Alemanha na Segunda Guerra Mundial, atacando a França.

Seus desastres militares na Grécia e na Líbia forçaram Hitler a deslocar tropas para os Bálcãs e o norte da África. Quando os Aliados recuperaram a Sicília em julho de 1943, Mussolini foi deposto e preso e a Itália mudou

Mussolini reprimiu brutalmente as greves e fez da Itália um país de partido único

de lado. Ele seria resgatado por uma ousada incursão alemã e estabeleceria um novo Estado fascista no norte da Itália, ainda sob ocupação alemã. Dali, mandou executar aqueles por quem se julgou traído – entre eles seu genro, o chanceler conde Ciano.

A ofensiva dos Aliados península italiana acima, porém, era irrefreável e, em abril de 1945, Mussolini e sua amante, Clara Petacci, bateram em retirada. Capturados por *partigiani* na fronteira com a Áustria, foram executados por um pelotão de fuzilamento e seus corpos, pendurados de ponta-cabeça na *piazza* Loreto, em Milão.

CHIANG KAI-SHEK
CONTRA OS "BANDIDOS VERMELHOS"

1887-1975 GOVERNANTE DA CHINA

Chiang Kai-shek chegou a ser o governante absoluto da grande nação chinesa, mas, pelos últimos 25 anos de sua vida, exerceu controle apenas sobre a pequena ilha de Taiwan.

Nascido em família rica na província de Chekiang, ele recebeu educação clássica e planejou entrar para o serviço público. Quando o sistema de seleção para o funcionalismo foi suspenso, em 1905, resolveu entrar para a Academia Militar Paoting, no norte da China. No ano seguinte, transferiu-se para a organização equivalente no Japão e serviu no exército japonês, cuja disciplina espartana aprendeu a admirar. Durante sua estada no país, conheceu amigos influentes, que tramavam derrubar a dinastia manchu na China. Tornou-se um republicano convicto e se uniu ao movimento revolucionário.

Quando o levante contra os manchus se iniciou, em 1911, ele desertou do exército japonês e voltou para casa, engajando-se na luta. Combateu então contra o regime ditatorial do general Yuan Shi'k'ai, mas teve de fugir para o Japão em 1913. Em 1915, de volta à China, ajudou a frustrar a tentativa de Yuan de tornar-se imperador, caindo então na obscuridade em Xangai.

Em 1918, Chiang entrou para o Kuomintang, ou KMT, um partido nacionalista apoiado pela Rússia, e visitou a União Soviética em 1923, onde estudou os métodos do Exército Vermelho. Rapidamente, ascenderia nas fileiras da organização e enfrentaria os senhores da guerra, na tentativa de unificar o país. Em 1927, já havia ganho o apoio de empresários de Xangai, expulsado seus conselheiros soviéticos e expurgado o partido da influência comunista. Tendo recrutado uma série de belicosos senhores da guerra, tomou Pequim em 4 de junho de 1928. Contudo, grande parte do país ainda permanecia nas mãos dos comunistas. Ele enfrentou-os com o apoio da Alemanha, através de violentas campanhas de repressão aos "bandidos vermelhos".

Quando os japoneses invadiram a China em 1937, Chiang foi obrigado a se unir aos comunistas numa frente unida contra o invasor. Como comandante em chefe das forças resultantes, combateu infrutiferamente até os Estados Unidos entrarem na guerra contra o Japão, em dezembro de 1941. Ainda assim, não engajou suas tropas por completo na luta, considerando que precisaria delas para combater os comunistas assim que a guerra terminasse.

Quando os japoneses se renderam, em 1945, a guerra civil eclodiu na China. Chiang se segurou no poder até 7 de dezembro de 1947, quando fugiu para Taiwan, estabelecendo lá um governo nacionalista no exílio. Agarrou-se ao poder na ilha até sua morte, em 1975. Taiwan permanece independente da China.

ADOLF HITLER
ACIMA DOS LIMITES DA TIRANIA

1889-1945 — **FÜHRER DA ALEMANHA**

Sem sombra de dúvida, Hitler é o mais infame tirano do século XX e possivelmente de toda a História. Ditador da Alemanha por 12 anos, provocou a Segunda Guerra Mundial e levou à morte mais de 35 milhões de pessoas, causando a destruição e o desmembramento da Alemanha.

Nascido e criado na Áustria, filho de um fiscal da alfândega que tratava esposa e filhos de forma rude, Hitler tinha aspirações artísticas. Por duas vezes rejeitado pela Academia de Belas-Artes de Viena, ganhava seu sustento pintando cartões-postais e anúncios. Solitário e isolado, começou a desenvolver fantasias megalomaníacas e ódio pelos judeus.

Hitler foi considerado inapto para o serviço militar pelo exército austríaco, mas, com a eclosão da Primeira Guerra Mundial, foi aceito pelo 16º Regimento de Infantaria da Reserva da Baváira. Foi gravemente ferido em 1916 e seria condecorado com a Cruz de Ferro de Primeira Classe em 1918, embora nunca tenha sido promovido acima do status de cabo.

No período que passou no exército, tornou-se um nacionalista militarista, e ficou no seu regimento até 1920, servindo como agente político. Saiu para trabalhar como chefe do setor de propaganda do Partido dos Trabalhadores Alemães, para o qual havia entrado em 1919. Trabalhou incansavelmente para o partido, que, em agosto de 1920, mudou de nome para National-sozialistische Deutsche Arbeiterpartei – ou Partido Nazista.

Baseado em Munique, o partido atraía ex-combatentes que sentiam não ter perdido a guerra no campo de batalha, mas traídos em casa pelos comunistas, entre estes os intelectuais judeus. Hitler se fez valer também do descontentamento gerado pela natureza punitiva do Tratado de Versalhes, que dera fim à guerra, e foi eleito presidente do partido em julho de 1921. Com sua oratória hipnótica, atacava judeus e comunistas, en-

PHOTO HEINRICH HOFFMANN/BNPS

Hitler em 1925: mais de 35 milhões de mortes sob sua responsabilidade

quanto organizava tropas de choque para proteger encontros do partido e espancar oponentes políticos. Esses capangas acabariam por formar um exército particular chamado de Sturmabteilung, as SA ou camisas-pardas.

Em novembro de 1923, Hitler promoveu o Putsch da Cervejaria, uma tentativa fracassada de tomar o poder na Baviera. Condenado por traição, recebeu pena de cinco anos de prisão. Na cadeia, escreveu *Mein Kampf* (*Minha luta*), em que delineava sua filosofia política, atacando judeus, comunistas, liberais e capitalistas estrangeiros. A Alemanha, dizia, ascenderia ao posto de potência dominante no mundo. Vingar-se-ia da derrota na Primeira Guerra Mundial, uniria os povos de língua alemã e se expandiria para o leste, encontrando seu *Lebensraum*, ou espaço vital, na Europa central. Era uma filosofia de tirania.

Libertado depois de nove meses, Hitler viu a crise econômica mundial de 1929 levar às ruas o caos. As tropas de choque nazistas estavam prontas a explorá-lo. Hitler forjou uma aliança com o Partido Nacionalista, liderado pelo industrial Alfred Hugenberg, aumentando a representação nazista no Parlamento alemão, o Reichstag, de 12 para 107. O número subiu para 230 nas eleições de 1932, fazendo da bancada nazista a maior do Reichstag. Em janeiro do ano seguinte, o presidente alemão, o envelhecido herói de guerra Paul von Hindenburg, afinal concordou em nomear Hitler chanceler do Reich.

Quando o Reichstag pegou fogo, em fevereiro de 1933 (um incêndio possivelmente iniciado pelos próprios nazistas), Hitler encontrou uma desculpa para colocar o Partido Comunista na ilegalidade e prender seus líderes. Em março, a Lei de Concessão de Plenos Poderes concedeu oficialmente a Hitler o status de ditador por quatro anos. Ele a usaria para desmantelar todos os outros partidos políticos, expurgar o governo de judeus e colocar todos os órgãos da administração sob o controle direto do Partido Nazista. Então, em 30 de junho de 1934 (Noite dos Longos Punhais), ele expurgou o partido dos radicais, assassinando centenas de pessoas que representassem uma ameaça ao seu domínio. As SA deram lugar às Schutzstaffel ou SS, capitaneadas por Himmler, que deviam lealdade apenas ao próprio Hitler, e uma força policial secreta chamada Gestapo foi estabelecida.

Quando Hindenburg morreu, em agosto de 1934, Hitler tomou a presidência, autonomeando-se o Führer do que ele chamava de Terceiro Reich. Mandou judeus, inimigos políticos e qualquer um que julgasse "indesejável" para campos de concentração montados pelas SS. Em 1935, as Leis Raciais de Nuremberg tiraram dos judeus o direito à cidadania e, em desafio ao Tratado de Versalhes, Hitler estabeleceu uma força aérea, a Luftwaffe, começou a construir tanques e enviou tropas à Renânia desmilitarizada.

Em 1936, ele formou o "Eixo" Roma-Berlim com o ditador fascista Mussolini e assinou com o Japão um pacto anticomunista. Em 1938, anexou a Áustria e exigiu que a Tchecoslováquia entregasse os Sudetos, região de fronteira cujos habitantes falavam alemão. Despreparados para uma guerra, os Aliados ocidentais procuraram apaziguar Hitler e, na Conferência de Munique, em setembro de 1938, Grã-Bretanha e França aceitaram o desmembramento da Tchecoslováquia. Contudo, Hitler logo engoliria o resto do país e começaria a fazer mais exigências territoriais.

Depois de ter concluído um pacto de não agressão com a União Soviética, em 23 de agosto de 1939, Hitler invadiu a Polônia no dia 1º de setembro. Grã-Bretanha e França declararam guerra, mas havia pouco que pudessem fazer. A Polônia foi rapidamente tomada, com a União Soviética assumindo o controle da parte oriental. Hitler, então, fez o mesmo com a Dinamarca e a Noruega. Suas forças mecanizadas avançavam rapidamente e, em questão de semanas, tomaram os Países Baixos e a França. Mas os planos de invasão do Reino Unido tiveram de ser engavetados quando a Luftwaffe fracassou na tentativa de controlar o espaço aéreo na Batalha da Grã-Bretanha.

Em abril de 1941, Hitler invadiu a Iugoslávia e a Grécia e, em junho, rasgou o pacto de não agressão e atacou a União Soviética. Embora as suas forças tenham alcançado vitórias espetaculares no solo, não conseguiram tomar Moscou antes da chegada do inverno. Os russos passaram então a impingir pesadas baixas às tropas alemãs e, no inverno de 1942-43, derrotaram-nas em Stalingrado. A Grã-Bretanha, enquanto isso, havia batido de forma retumbante as aparentemente invencíveis forças mecanizadas do nazismo nos desertos do norte da África.

Hitler agora tinha outro poderoso inimigo a enfrentar. Em dezembro de 1941, os japoneses haviam atacado a frota americana, em Pearl Harbor, no Havaí, desencadeando uma guerra no Pacífico. Hitler prontamente declarou guerra aos Estados Unidos.

Na Europa, o ódio patológico de Hitler pelos judeus resultou na Solução Final. No Holocausto, 6 milhões de judeus, além de ciganos, homossexuais, eslavos e outros julgados inferiores foram assassinados em campos de extermínio, trabalharam até perecer em campos de trabalhos forçados ou simplesmente morreram de desnutrição e doenças.

Em 1943, a guerra havia se voltado contra Hitler. Na frente oriental, o exército soviético expulsava os alemães da Rússia. A Sicília fora invadida; Mussolini caíra; os Aliados vinham abrindo caminho península italiana acima e aviões bombardeiros britânicos e americanos alvejavam cidades alemãs todas as noites. Em 6 de junho de 1944, tropas aliadas desembarcaram na costa da Normandia. A essa altura, Hitler havia tomado para si a condução da guerra e as asneiras militares se multiplicavam. Um complô de oficiais superiores fez explodir, em 20 de julho de 1944, uma bomba sobre a mesa onde ele trabalhava, mas não o matou. Os responsáveis foram executados.

Em dezembro de 1944, Hitler armou uma contraofensiva nas Ardenas, de fôlego curto. Ele já não possuía poder de fogo ou apoio industrial para resistir às forças alinhadas contra ele. Os russos e os Aliados se aproximavam de Berlim e Hitler organizou uma defesa até o último homem. Acreditava que a Alemanha merecia ser destruída porque não estivera à altura de sua grande visão para ela. Em 29 de abril de 1945, casou-se com sua amante de longa data, Eva Braun, e, no dia seguinte, os dois cometeram suicídio. Os corpos foram queimados, de acordo com suas instruções.

RAFAEL TRUJILLO
A GOLPES DE MACHETE

1891-1961 DITADOR DA REPÚBLICA DOMINICANA

Rafael Trujillo governou a República Dominicana de 1930 até seu assassinato, em 1961. Nascido em 1891 em uma família de classe média baixa em San Cristóbal, Trujillo não teve muita educação formal e ganhava a vida como operador de telégrafo em meio expediente e ladrão barato. Em 1916, os Estados Unidos ocuparam o seu país. Trujillo entrou para o exército em 1918 e foi treinado por fuzileiros navais americanos. Tornou-se tenente da polícia federal em 1919 e, quando os americanos saíram do país, em 1924, já ascendera ao posto de coronel. No ano seguinte, Trujillo passou a comandar a força policial nacional e, em 1927, tornou-se general e comandante do exército.

Em 1930, ele promoveu um golpe de Estado, derrubando o presidente Horacio Vásquez. Mantendo o comando do exército, pôs membros de sua família em cargos políticos estratégicos e assassinou os que se opunham a ele. Ocupou o posto de presidente de 1930 a 1938 e de 1942 a 1952; noutros momentos, cedeu o cargo a fantoches. O Partido Dominicano, agremiação única do país, controlava a imprensa. Membros do Congresso eram escolhidos a dedo por Trujillo e unidades rivais da polícia secreta reportavam-se diretamente a ele, dando fim, na prática, a qualquer atividade política.

Trujillo ficou conhecido como "o Benfeitor", embora tenha sido sua família que beneficiou do crescimento econômico do país. Outros sofreram, em particular haitianos que perambulassem além da fronteira; em 1937, 20 mil trabalhadores rurais migrantes foram massacrados com revólveres, machetes, cassetetes e facas.

A despeito das medidas severas que tomou para proteger seu regime, a oposição cresceu. Em 31 de maio de 1961, ele dirigia até sua fazenda em San Cristóbal quando foi abatido a tiros de metralhadora em atentado com apoio da CIA. Seu filho mais velho assumiu o controle, rastreou os supostos assassinos e os executou. Contudo, não conseguiu se sustentar no poder e logo partiu com a família para o exílio.

ANTÓNIO DE OLIVEIRA SALAZAR
APÓSTOLO DO ATRASO

1889-1970 — **GOVERNANTE DE PORTUGAL**

Salazar escreveu nova Constituição e introduziu severa censura no país

Depois de ter se preparado para o sacerdócio, Salazar mudou de ideia, tornou-se economista e ascendeu ao posto de professor na Universidade de Coimbra. Ajudou a formar o partido Centro Católico, mas abdicou depois de um mandato na Assembleia Nacional, declarando que o órgão era inútil.

Em 1926, Portugal estava falido. O exército tomou o poder e Salazar foi convidado a se tornar ministro de Finanças. Recusou, dizendo que essa posição não lhe daria poder suficiente. Dois anos mais tarde, quando lhe foi concedida a autoridade que queria, aderiu ao governo. Impôs pesados impostos, mas diminuiu as alíquotas a cada ano. Pareceu funcionar: em 1932, já equilibrara o orçamento e se tornara primeiro-ministro.

Ele escreveu uma nova Constituição, tornou ilegais partidos de oposição e introduziu censura severa – ainda que tenha contrabalançado tudo isso com reformas econômicas liberais. Durante a Guerra Civil Espanhola e a Segunda Guerra Mundial, ele assumiu também as pastas de ministro da Guerra e de Relações Exteriores e manteve Portugal fora de ambos os conflitos.

Em 1968, Salazar sofreu um derrame e foi forçado a deixar o cargo. Morreu dois anos depois, tendo vivido uma vida tediosa, tranquila e frugal e sem jamais ter saído de Portugal, que manteve como um país atrasado em relação aos pares europeus.

Monarquista, Franco deixou o trono vazio e usurpou os poderes da realeza

FRANCISCO FRANCO
O GENERALÍSSIMO

1892-1975 **DITADOR DA ESPANHA**

Monarquista apaixonado, Francisco Paulino Hermenegildo Teódulo Franco y Bahamonde Salgado Pardo ficou chocado quando a Espanha se tornou república em 1931 e o rei foi forçado a abdicar. No entanto, ele, o mais jovem general do exército, ascenderia ao posto de chefe do Estado-Maior. Mas era visto como um perigo. Quando a Frente Popular, de esquerda, venceu a eleição de fevereiro de 1936, ele foi exilado nas ilhas Canárias. De lá, organizou uma conspiração nacionalista que levou à eclosão da Guerra Civil Espanhola.

Em 17 de julho de 1936, guarnições se rebelaram por todo o país e os nacionalistas de Franco tomaram o controle do Marrocos, então colônia espanhola, das ilhas Baleares, com a exceção de Minorca, e da maior parte do norte da Espanha. Franco voou até o Marrocos, trouxe de volta para a Europa a numerosa guarnição de tropas da Legião Estrangeira espanhola, marchou sobre Madri e a sitiou. Em 29 de setembro de 1936, os nacionalistas estabeleceram o próprio governo em Burgos, com Franco como o cabeça.

No ano seguinte, ele se tornou líder da Falange Espanhola. Com ajuda da Legião Condor, vinda da Alemanha nazista, e do Corpo Truppe Volontarie, da Itália fascista, exauriu os legalistas republicanos, apoiados por União Soviética, França, México e pela Brigada Internacional de voluntários. Atrocidades foram cometidas por ambos os lados. Estima-se que mais de 50 mil tenham sido executados, mortos ou assassinados.

Os alemães usaram a guerra para testar novas táticas que empregariam durante a Segunda Guerra Mundial, notoriamente o bombardeio de saturação, impingido, por exemplo, à indefesa cidade basca de Guernica.

Em fevereiro de 1939, quase meio milhão de espanhóis haviam fugido do país. O governo republicano se retirou para o exílio em 5 de março. Mas forças comunistas e anticomunistas combateram em Madri até 28 de março, quando as forças republicanas tiveram de debandar. Estima-se que meio milhão de pessoas tenham sido mortas na Guerra Civil Espanhola e outro tanto perecido por fome ou doenças.

Com o fim da Guerra Civil, Franco tornou-se ditador. Ele colocou todos os partidos de oposição na ilegalidade e aprisionou e executou milhares de legalistas. Contudo, conseguiu manter a Espanha fora da Segunda Guerra Mundial, ainda que tenha enviado trabalhadores para reforçar a produção industrial na Alemanha e a Divisão Azul, de voluntários espanhóis, lutado no front russo. Forneceu também abrigo para navios alemães.

Franco buscou apoio entre monarquistas, o nacional-sindicalismo e os católicos. Todos se combinaram numa única coalizão chamada Movimiento Nacional. Era um regime conservador, tradicionalista, de direita, com ênfase em ordem e estabilidade.

Embora monarquista, Franco deixou o trono vago e usurpou os poderes da realeza. Ele usava o uniforme de capitão-general, status tradicionalmente reservado na Espanha para o rei. Seus títulos oficiais eram "chefe do Estado" e "Generalíssimo dos Exércitos Espanhóis", mas ele adotou o título pessoal "Pela Graça de Deus, Caudilho da Espanha e da Cruzada" – a fraseologia legal "Pela graça de Deus" é usada apenas por monarcas.

Durante seu governo, foram suprimidos os sindicatos não oficiais e todos os partidos políticos. Os maçons também foram colocados na ilegalidade, pois Franco acreditava que conspiravam contra ele. Após a Segunda Guerra, o caudilho fez um jogo de cena de reformas liberais, propondo uma declaração de direitos e prometendo restaurar a monarquia. Mas, ao longo dos anos 1960, reverteu várias dessas posturas liberais, reprimindo a agitação entre bascos, trabalhadores e estudantes.

Em julho de 1969, ele escolheu Juan Carlos de Bourbon, neto do rei anterior, como herdeiro do trono, que lhe sucederia após a sua morte, em 1975.

MAO TSÉ-TUNG
À FRENTE DE UM IMPÉRIO

1893-1976 LÍDER DO PARTIDO COMUNISTA CHINÊS

Ainda que outros o reverenciassem como um revolucionário, o próprio Mao Tsé-tung não tinha muitas ilusões sobre a natureza da política. "O poder político cresce do cano de uma arma", ele escreveu. Mao é, talvez, o mais poderoso déspota que já se viu. Sozinho, governou quase 1 bilhão de pessoas por mais de 25 anos, controlando um vasto império de mais de 9 milhões de quilômetros quadrados.

Mao nasceu em 26 de dezembro de 1893, na aldeia de Shao-shan, na província de Hunan. Embora alegasse ser filho de camponês, seu pai ascendera da pobreza e tornara-se um rico fazendeiro e mercador de grãos. Aos 17 anos, foi cursar o ensino fundamental em Changsha, capital da província. Naquele ano, 1911, uma revolução liderada pelo doutor Sun Yat-sen derrubou o velho governo imperial, e Mao se envolveu na febril atividade política resultante da queda da dinastia Manchu.

Depois de seis meses em um exército revolucionário, Mao começou a frequentar uma biblioteca de província em Hunan, onde viria a conhecer bem as obras de Darwin e Rousseau. Já era então admirador de Napoleão e Washington e havia lido os clássicos chineses. Ele retomou sua educação, estudando Literatura, História e Filosofia, bem como Pensamento Ocidental, com intenção de tornar-se professor. Mas ao se formar, em 1918, foi para Pequim trabalhar como assistente na biblioteca da universidade e lá conheceu Li Ta-chao, coordenador do local, e o professor de Literatura Chen Tu-hsui, ambos marxistas radicais que viriam a fundar o Partido Comunista Chinês (PCC).

Em 4 de maio de 1919, estudantes chineses foram às ruas protestar contra a Conferência de Paz de Paris, que entregara as concessões alemãs na China aos japoneses. Nesse momento, muitos dos estudantis radicais, Mao entre eles, abraçaram o marxismo-leninismo.

Em 1920, Mao retornou a Changsha, onde se tornou diretor de uma escola primária. Em seu tempo livre, ajudou a estabelecer o braço local do recém-fundado Partido Comunista. Em 1921, era um dos 12 delegados presentes ao primeiro congresso do partido e foi escolhido como secretário-geral para a região de Hunan, numa época em que a agremiação contava apenas com 57 membros em todo o país. Em 1923, o PCC formou uma aliança com o Partido Nacionalista de Sun Yat-sen, o Kuomintang, e Mao assumiu papel de liderança em Xangai.

Durante o inverno de 1924-1925, Mao retornou à aldeia natal, onde presenciou uma manifestação e passou a acreditar no potencial revolucionário do campesinato (tradicionalmente, os marxistas defendiam a ideia de que só o proletariado urbano poderia derrubar o capitalismo).

Naquela época, faziam-se planos para a ambiciosa "Expedição do Norte", cuja meta era estender a toda a China o controle do Kuomintang. Então, em março de 1925, Sun Yat-sen morreu e Chiang Kai-shek o substituiu. No início de 1926, o Kuomintang já controlava quase metade da China, mas Mao começava a ter dúvidas sobre Chiang Kai-shek. Ele achava que os camponeses eram receptivos à ideia de derrubar os donos de terras – só que era desses mesmos donos de terras que o Kuomintang extraía seu apoio. Kai-shek via que o PCC estava crescendo rapidamente e logo viraria uma ameaça; portanto, em abril de 1927, ordenou o massacre dos comunistas em seus redutos nas cidades, Xangai em particular. Ao longo dos meses seguintes, os quadros do PCC caíram de 60 mil para 10 mil. A facção camponesa do partido, ligada a Mao, agora havia se tornado mais poderosa e Chiang Kai-shek naturalmente se movera para a direita, traçando uma linha de combate muito clara.

Em 1927, Mao e seus seguidores começaram uma série de levantes, dos quais o mais notório foi a Revolta da Colheita de Outono, quando seu exército camponês tomou por vários dias a cidade de Nan-ch'ang. Quando esses levantes foram violentamente reprimidos, Mao e algumas centenas de camponeses montaram uma base nas montanhas Ching-kang, na fronteira entre Hunan e Kiangsi, e começaram operações de guerrilha. Em 1931, Mao invadiu parte de Kiangsi e fundou a República Soviética da China. Suas guerrilhas camponesas tornaram-se, então, o Exército Vermelho.

O Kuomintang de Chiang Kai-shek mantinha o poder em Pequim. Determinado a estrangular no berço a República Soviética da China, Kai-shek a cercou com 700 mil homens. Mao perdeu metade do seu exército na batalha que se seguiu, mas em 15 de outubro de 1934 os 100 mil remanescentes conseguiram atravessar as linhas nacionalistas e escapar na direção oeste. Ao longo dos dois anos seguintes, na Grande Marcha, viajaram por cerca de 9,6 mil quilômetros rumo à segurança de Yen-an, próximo à fronteira soviética. Dos 100 mil que partiram, só 8 mil chegaram. Nesse período, Mao intensificou seu controle sobre o Partido Comunista, e a Grande Marcha se tornaria um dos pilares míticos da República Popular.

Cerca de 3 milhões de pessoas teriam sido executadas nos primeiros anos de governo de Mao

Quando os japoneses invadiram o país, em 1937, Mao formou uma relutante aliança com Chiang Kai-shek para combatê-los. Ao fim da Segunda Guerra Mundial, no entanto, comunistas e nacionalistas voltaram a entrar em conflito. Embora os americanos suprissem o Kuomintang, o exército comunista tinha então uma força de 3 milhões, com apoio dos soviéticos, que lhes passaram parte do equipamento japonês capturado na Manchúria. Uma guerra civil em grande escala eclodiu em 1946. Os nacionalistas foram derrotados em 1949 e Chiang Kai-shek se retirou para a ilha de Taiwan, formando a China Nacionalista. Em 1º de outubro de 1949, Mao Tsé-tung postou-se na Praça da Paz Celestial e proclamou a China uma República Popular.

Mao passou a comandar um Partido Comunista todo-poderoso que não tolerava oposição. Estima-se que algo em torno de 3 milhões de pessoas tenham sido executadas nos primeiros anos de seu regime. Milhões mais foram "reeducados". Donos de terras foram exterminados. Foi posto em prática um rápido programa de reconstrução.

O primeiro Plano Quinquenal, lançado em 1953, forçou os camponeses a entrarem em cooperativas. O resultado, como ocorrera na União Soviética três décadas antes, foi a fome. Em 1956, como reação ao discurso de Krushchev denunciando os crimes de Stalin, Pequim rompeu com Moscou.

Mao prometeu inédita liberdade de expressão e a eliminação do regime de partido único. "Que cem flores desabrochem, que todas as escolas de pensamento se enfrentem", disse ele. Mas o tiro saiu pela culatra. Os críticos do comunismo atacaram seus dogmas mais básicos, alegando que a velha classe dominante havia sido derrubada apenas para abrir caminho para uma nova classe dominante. Ele começou a recuar e, em 8 de maio de 1957, anunciou que era necessário fazer a distinção "entre flores perfumadas e ervas daninhas". "Palavras e atos podem ser julgados positivos", disse, "se tendem a reforçar, ao invés de enfraquecer, a liderança do Partido Comunista." Seis semanas depois, Mao deu fim ao experimento, prendendo dissidentes, executando-os ou encarcerando-os, ou mandando-os para trabalhar nos campos, para silenciá-los.

Em 1957, Mao anunciou seu ambicioso "Grande Salto Adiante" para industrializar o país. Ao final de 1958, ele tivera êxito em conduzir quase que a totalidade da população a "comunas" autônomas e autossuficientes de 5 a 10 mil moradias cada uma. Nas áreas rurais, 26 mil comunas substituíram os 750 mil coletivos que já existiam; cada aldeia no país foi forçada a fornecer sua cota de aço – os comunistas viam a produção siderúrgica como uma medida do sucesso econômico.

As comunas urbanas logo foram abandonadas, mas foram feitos esforços para que as rurais dessem certo. Famílias foram separadas e pessoas, forçadas à vida na caserna, como militares. O resultado foi outro fracasso. Milhões passaram fome e Mao teve de abdicar do posto de chefe de Estado. Foi substituído por Liu Shao-chi em 1960. Mas ele não estava disposto a abrir mão do poder, e o culto à personalidade que estabelecera dificultava sua saída de cena.

Em 1964, foi publicado *Os pensamentos do presidente Mao Tsé-tung*, conhecido ao redor do mundo como *O livro vermelho*. Continha centenas de citações de escritos e discursos de Mao. Em 1966, a jovem Guarda Vermelha começou a sair às ruas agitando *O livro vermelho* e bradando slogans de suas páginas, no que foi chamado de Revolução Cultural. Chian Ching, terceira esposa de Mao, universalmente conhecida como Madame Mao, denunciou escritores, artistas, professores e gente instruída como "inimigos de classe". A Guarda Vermelha assassinou professores e burocratas "burgueses" e qualquer um considerado não-revolucionário.

Mao restabeleceu a ordem em 1969, lançando mão do Exército Vermelho. Seu sucessor, Liu Shao-chi, admitiu vários crimes contra o marxismo-leninismo-maoismo e foi denunciado pela Guarda Vermelha. Mao foi restituído como líder. Lin Piao foi designado para lhe suceder, mas logo caiu em desgraça. Dizia-se que estivera envolvido em uma conspiração para assassinar Mao. Morreu em 1971 em misterioso acidente de avião. Mao promoveu uma aproximação com os Estados Unidos, que levou o presidente Nixon a visitar Pequim em 1972.

Quando o líder morreu, em Pequim, em 9 de setembro de 1976, Madame Mao e os outros membros da Camarilha dos Quatro, considerados culpados pelo caos da Revolução Cultural, foram aprisionados. Após a morte de Mao, soube-se que ele tivera várias concubinas e acumulara uma das maiores coleções de pornografia do mundo. A China continua sob o poder do Partido Comunista.

Somoza uniformizado em foto autografada da década de 1930

ANASTASIO SOMOZA GARCÍA
CAPITANIA HEREDITÁRIA

1896-1956 — **DITADOR DA NICARÁGUA**

Anastasio Somoza iniciou uma dinastia que manteve o controle absoluto sobre a Nicarágua por 44 anos. Filho de um rico plantador de café, Somoza foi educado nos Estados Unidos. De volta ao seu país, ajudou a derrubar o presidente Adolfo Díaz, tornando-se secretário de Relações Exteriores e adotando o título de general. Com a ajuda dos fuzileiros navais americanos, que ocupavam então a Nicarágua, tornou-se chefe da Guarda Nacional. Isso lhe deu a base de poder para destituir o presidente Juan Bautista Sacasa – tio de sua esposa – e assumir ele mesmo o cargo em 1937. Dez anos depois, foi derrubado pelo voto. No entanto, permaneceu no poder como comandante em chefe e, um mês após a posse de seu oponente, declarou o presidente "incapacitado" e assumiu seu lugar.

De volta ao poder em seu em 1951, manteve pulso firme sobre o seu Partido Liberal e fez um acordo com os conservadores de forma a não ter oposição. Isso o deixou livre para acumular uma enorme fortuna pessoal.

Em 21 de setembro de 1956, ele foi atacado a tiros pelo poeta Rigoberto López Pérez. Mortalmente ferido, foi levado de avião até a zona do canal do Panamá, onde morreria uma semana depois. Seu filho mais velho, Luis Somoza Debayle, assumiu o poder até ser sucedido pelo irmão mais novo, Anastasio Somoza Debayle, que seria forçado a fugir do país em 1979 e assassinado no exílio, no Paraguai, um ano depois.

AIATOLÁ KHOMEINI
DITADURA TEOCRÁTICA

1900-1989 — **GOVERNANTE DO IRÃ**

Exilado do Irã em 1964 por liderar um movimento religioso contra o reinado do xá, o clérigo xiita aiatolá Ruhollah Khomeini retornou da França em triunfo em janeiro de 1979, após a deposição do monarca. Em dezembro, foi nomeado líder político e religioso vitalício da República Islâmica do Irã. Com sua barba grisalha e turbante e manto negros, o clérigo severo se apresentava como vingador de todas as humilhações que o Ocidente despejara ao longo dos séculos sobre o mundo muçulmano. Ele rejeitava não apenas o governo do xá, mas também o secularismo que este personificava.

Nascido em uma família de acadêmicos xiitas em Khomeyn, aldeia próxima a Teerã, em 1902, foi batizado Ruhollah Musami, que significa "inspirado por Deus", e, ao longo da vida, aclamado pela profundidade de seu conhecimento sobre o islamismo. Quando tinha 5 meses de vida, seu pai foi morto a mando de um senhor de terras local. Ele foi criado pela mãe e por uma tia e depois pelos irmãos mais velhos. Após ter estudado em várias escolas islâmicas, estabeleceu-se na cidade de Qom, em 1922, e adotou o nome de sua cidade natal como sobrenome.

Khomeini no fim da década de 1970: castigos brutais exigidos pela lei islâmica postos em prática

Assim como o pai, Khomeini iniciou a carreira como teólogo e então se tornou jurista islâmico. Ele escreveu extensamente sobre filosofia, ética e lei islâmicas, mas teve pouca atuação política enquanto o primeiro xá da era moderna, Reza Shah Pahlavi, secularizava o Estado iraniano, ou enquanto seu filho, Mohammad Reza Pahlavi, recorria aos americanos para salvar seu regime, sob o clamor de manifestantes pedindo reformas democráticas nas ruas de Teerã. Em meados da década de 1950, foi aclamado como um Aiatolá ou líder religioso.

Khomeini era seguidor do proeminente clérigo iraniano aiatolá Mohammed Boroujerdi, que pregava a tradicional deferência islâmica ao poder do Estado. Mas, após a morte de Boroujerdi, em 1962, Khomeini passou a atacar o xá por seus laços com Israel e a alertar que os judeus almejavam tomar o país. Ele denunciou como anti-islâmico o projeto de lei que concedia às mulheres o direito ao voto e refutou a proposta que permitia a militares americanos estacionados no país serem julgados por cortes militares nos Estados Unidos, para ele um sinal de "escravização do Irã". Para ele, a América do Norte era o "Grande Satã". Seu fervor religioso e sua posição anti-Ocidente lhe valeram grande número de seguidores, e sua prisão, em 1963, levou a protestos contra o governo.

Após um ano de encarceramento, o xá o exilou na Turquia, na esperança de que fosse esquecido. Mas Khomeini se mudou para a cidade sagrada xiita de Najaf, no centro do Iraque, onde era reverenciado. Fitas cassete de seus sermões eram contrabandeadas para o Irã e negociadas em bazares, e ele se tornou o mais destacado líder oposicionista. Em Najaf, Khomeini mudou fundamentalmente a face do xiismo. Reprovando a atitude servil do xá para com os americanos e seu secularismo, o clérigo exigia o estabelecimento de um Estado teocrático.

Em 1978, enormes manifestações de rua abalaram o regime iraniano e, em janeiro de 1979, o xá fugiu para o Egito. Khomeini estava então instalado nas proximidades de Paris. Ele retornou triunfalmente ao Irã. Aclamado pelo povo como líder, dedicou-se a confirmar sua autoridade e a criar as bases para um Estado clerical. O fervor revolucionário instigou grupos de justiceiros armados a promover um banho de sangue com os últimos partidários do xá, executando centenas de pessoas.

Logo Khomeini fecharia o novo Parlamento, esmagaria toda a oposição e formaria uma Assembleia de Peritos para esboçar uma Constituição islâmica. Os delegados projetaram um Estado que seria governado por Khomeini, com o clero fazendo cumprir a lei religiosa. Os que se opunham foram aprisionados e mortos. Mulheres foram forçadas a usar véu. Álcool e música ocidental foram proibidos e os castigos brutais exigidos pela lei islâmica, postos em prática.

Em 4 de novembro de 1979, 500 estudantes seguidores de Khomeini tomaram a embaixada dos Estados Unidos e mantiveram 52 americanos reféns por mais de um ano.

Ao longo da década seguinte, Khomeini consolidou seu domínio. Era tão implacável quanto o xá e matou milhares, esmagando uma rebelião da esquerda secular. Clérigos aos montes ocupavam os ministérios, e a mídia e as escolas recitavam suas doutrinas pessoais. Ele promoveu expurgos nos serviços de segurança e nas forças armadas, reerguendo-os com homens fiéis ao Estado clerical. Em seguida, lançou uma campanha para exportar sua revolução islâmica para outros países. Suas provocações ao Iraque, em 1980, ajudaram a dar início a uma guerra entre os dois países que custou 1 milhão de vidas.

Para mobilizar seus partidários, Khomeini emitiu uma *fatwa* (decreto religioso islâmico) condenando à morte por heresia o escritor Salman Rushdie, por causa de seu romance *Os versos satânicos*. Ainda que muçulmano, Rushdie não era xiita, mas um cidadão britânico nascido na Índia sem nenhuma ligação com o Irã. Através da fatwa, Khomeini reivindicava autoridade sobre muçulmanos mundo afora.

Khomeini morreu alguns meses mais tarde, em junho de 1989, deixando o país nas mãos de outros rígidos teocratas. Mas a *fatwa* continuou a valer. Além desse, seu legado foi ampliar o fosso entre o islamismo e o Ocidente e o apelo crescente por um Estado islâmico e pelo fundamentalismo, que inspiraram o Talibã, Osama bin Laden e o grande terror da atualidade, o grupo Estado Islâmico.

FULGENCIO BATISTA Y ZALDÍVAR
DERRUBADO POR FIDEL

1901-1973 — **DITADOR DE CUBA**

Fulgencio Batista y Zaldívar é mais conhecido hoje pelo fato de ter sido deposto pelo jovem revolucionário Fidel Castro, mas, em setembro de 1933, ele entrou para a história cubana ao organizar a "revolta dos sargentos", que derrubou o governo provisório de Carlos Manuel de Céspedes, substituto do ditador anterior, Gerardo Machado y Morales. Em vez de tomar o poder ele próprio, esse filho de um fazendeiro empobrecido nascido em 16 de janeiro de 1901 controlou uma série de presidentes civis fantoches enquanto mantinha a condição de chefe do Estado-Maior das Forças Armadas. Em 1940, elegeu-se presidente.

Batista expandiu consideravelmente a economia, permitindo à Máfia, através do gângster nova-iorquino Meyer Lansky, administrar os cassinos de Cuba. Sob a orientação criminal de Lansky, a ilha tornou-se um quintal de veraneio para os americanos, famosa por sua música, charutos, rum e pela atitude relaxada diante da prostituição. O presidente ficou rico à custa de propinas e, ao final de seu primeiro mandato, em 1944, mudou-se para a Flórida para viver uma vida de milionário.

Em 1952, ele retornou a Cuba, tomando o poder em um golpe de Estado. Dois anos depois, foi confirmado no cargo por eleições diretas e reeleito em 1958. Contudo, o seu segundo mandato foi marcado pela repressão brutal. Batista controlava a imprensa, as universidades e o Congresso com mão de ferro. A corrupção generalizada levou ao crescimento de um movimento de guerrilha, sob o comando de Castro. O desgoverno de Batista fez o presidente americano Eisenhower interromper a venda de armas para Cuba. Sem o apoio dos Estados Unidos, Batista não conseguiu resistir às forças de Castro e, em 1º de janeiro de 1959, fugiu para a República Dominicana. Viveu confortavelmente no exílio na ilha da Madeira e em Estoril, perto de Lisboa, morrendo em Marbella, na Espanha, em 6 de agosto de 1973.

NGO DINH DIEM
REPRESSÃO ANTICOMUNISTA

1901-1963 — **PRESIDENTE DO VIETNÃ DO SUL**

Ngo Dinh Diem foi presidente do Vietnã do Sul, com apoio dos Estados Unidos, de 1954 a 1963, e fez questão de provar suas credenciais anticomunistas por meio de repressão brutal. Nascido em uma das famílias nobres do país, ele cursou o colégio católico na antiga capital imperial, Hue, e estudou para o serviço público na faculdade em Hanói, onde conheceu Vo Nguyen Giap, que viria a liderar as forças comunistas do país. Em 1933, Diem foi ministro do Interior no governo do imperador Bao Dai, mas renunciou quando a França, poder colonial, se recusou a dar mais autonomia ao Vietnã.

Pelos 12 anos seguintes, ele evitou a vida pública. Mas em 1945, foi capturado pelas forças comunistas que vinham combatendo os japoneses. O líder comunista Ho Chi Minh o convidou para integrar o governo que estabelecera em Hanói, na esperança de que a presença de Diem atraísse o apoio de outros católicos. Diem se recusou e se autoimpôs o exílio nos Estados Unidos, onde conheceu John F. Kennedy, então senador.

Em 1954, o Vietnã havia sido temporariamente dividido pelos Acordos de Paz de Genebra, que deram fim à Guerra da Indochina. Como o governo comunista de Ho Chi Minh controlava o norte, Bao Dai, cujo regime tinha o apoio dos Estados Unidos, convidou Diem a retornar ao sul na condição de primeiro-ministro. Ele aceitou, mas, por meio de um referendo, em 1955, tornou-se presidente da República do Vietnã, conhecida como Vietnã do Sul.

Os Acordos de Genebra estipularam que deveria haver uma eleição para unir as duas metades do país. Com medo da vitória dos comunistas, Diem se recusou a convocar o pleito e pediu ajuda militar e econômica aos americanos. Enquanto isso, reprimia impiedosamente dissidentes e facções religiosas, instalando membros de sua família em postos importantes. Favoreceu os católicos, alijando os budistas, que compunham a maior parte da população.

Sua inepta guerra contra a insurgência comunista atingia o campesinato, e uma tentativa frustrada de golpe, em 1960, foi a fagulha da repressão mais brutal. Centenas de budistas foram mortos. Isso impeliu os Estados Unidos a retirar seu apoio ao regime – um convite para um novo golpe. Diem foi deposto pelo exército em 1º de novembro de 1963. No dia seguinte, ele e seu irmão foram executados a tiros em Cho Lon, no Vietnã.

ACHMED SUKARNO
MASSACRE DE COMUNISTAS

1901-1970 — **PRESIDENTE DA INDONÉSIA**

O governo de Sukarno foi notório pela corrupção

A Indonésia era uma antiga colônia holandesa e, durante as décadas de 1920 e 1930, Achmed Sukarno ganhou destaque como um político nacionalista. Como resultado disso, passou dois anos em uma prisão holandesa e oito no exílio. Quando os japoneses invadiram o país durante a Segunda Guerra Mundial, Sukarno os acolheu como libertadores, atuando como seu principal conselheiro e recrutando para eles trabalhadores, soldados e "mulheres de conforto" – as escravas sexuais.

Ao término da guerra, Sukarno foi persuadido a declarar a independência da Indonésia. Em 1949, os holandeses foram finalmente forçados a conceder a soberania ao país e Sukarno rapidamente se instalou no suntuoso palácio do governador geral. Venceu facilmente a primeira eleição, mas seu governo foi notório pela corrupção. Depois de ter extraído cerca de US$ 1 bilhão em ajuda dos Estados Unidos, ele mudou de lado na Guerra Fria e pegou mais US$ 1 bilhão da União Soviética. Em 1959, dissolveu o Parlamento e, em 1963, proclamou-se presidente vitalício.

Temeroso de um golpe militar, em 1965 ele se posicionou de forma dúbia ao responder a uma conspiração para sequestrar seis dos generais de mais alta patente do país, que foram torturados, mutilados e assassinados por um movimento que o colocou "sob proteção". O general Suharto, comandante da guarnição de Jacarta, reagiu massacrando mais de 500 mil suspeitos de serem comunistas. Ele assumiu o poder de forma gradual, forçando Sukarno a afastar-se em 1968 e tomando posse como presidente. Suharto governou até 1998, quando saiu, enfraquecido pela crise financeira na Ásia, morrendo em Jacarta, em 2008.

FRANÇOIS DUVALIER ("PAPA DOC")
TIRANIA E VODU

1907-1971 — **PRESIDENTE DO HAITI**

François Duvalier ganhou o apelido "Papa Doc" quando, na condição de médico rural, trabalhou incansavelmente para erradicar a malária e a bouba durante uma epidemia no Haiti, nos anos 1940. Ao mesmo tempo, envolveu-se com um grupo de escritores que explorava o nacionalismo negro e o vodu. Após ter ocupado o cargo de ministro da Saúde, tornou-se presidente em uma eleição fraudada em 1957, na qual ostentou a maioria mais absoluta da história do país. A partir daí, com apoio americano, consolidou o seu poder por intermédio de um impiedoso grupo de capangas chamado "*tonton macoutes*", cuja função era aterrorizar a população e assassinar supostos oponentes do regime. Depois que seu assessor principal, Clément Barbot, o substituiu, quando ele teve um ataque do coração, Duvalier mandou prendê-lo e, depois, matá-lo.

Os Estados Unidos retiraram sua ajuda depois que Duvalier prolongou ilegalmente seu mandato. Em 1964, ele foi declarado presidente vitalício. Outras nações passaram a rejeitar o Haiti, e Duvalier foi excomungado em 1966 por intimidar o clero. Mas ele se agarrou ao poder usando uma mistura de vodu com táticas intimidatórias de gângsteres.

Quando morreu, em 1971, seu filho de 19 anos, Jean-Claude "Baby Doc" Duvalier, lhe sucedeu. Os Estados Unidos pressionaram Baby Doc a atenuar a tirania do regime de seu pai, mas a corrupção era endêmica e os *tonton macoutes* tinham se tornado incontroláveis. Protestos populares viraram franca rebelião em novembro de 1985. Em 7 de fevereiro de 1986, um jato da força aérea americana levou Baby Doc e sua esposa para o exílio na França.

François Duvalier em 1957, quando chegou ao poder em uma eleição fraudada

Nkrumah mergulhou o país em dívidas e carestia e acabou deposto e exilado

KWAME NKRUMAH
CORRUPÇÃO NA ÁFRICA

| 1909-1972 | **PRESIDENTE DE GANA** |

Educado nos Estados Unidos e no Reino Unido, Kwame Nkrumah voltou para a Costa do Ouro em 1947 no intuito de liderar a luta pela independência do domínio britânico. Foi preso por promover distúrbios, mas seu partido saiu vitorioso na primeira eleição geral do país e ele foi libertado para assumir o cargo. Quando a Costa do Ouro conquistou sua independência em 1957, com o nome Gana, foi ele o primeiro escolhido para o cargo de primeiro-ministro. No ano seguinte, seu governo passou a aprisionar sem julgamento qualquer pessoa que ele considerasse um risco à segurança.

Em 1964, ele proclamou Gana um Estado de partido único e declarou-se presidente vitalício. Seu imponente programa desenvolvimentista fracassou, mergulhando o país, outrora próspero, na dívida e na carestia. Enquanto ele se dedicava à ideologia do pan-africanismo, a corrupção no aparato partidário só aumentava.

Em 1966, enquanto Nkrumah fazia visita oficial a Pequim, o exército e a polícia tomaram o poder e turbas destruíram tudo que trouxesse seu nome ou seu retrato. Ele foi para o exílio na Guiné e dali para Bucareste, onde morreu de câncer, em 1972.

ENVER HOXHA
40 ANOS NO PODER

1908-1985 — **LÍDER DA ALBÂNIA**

Nascido em uma família muçulmana no sul da Albânia, Enver Hoxha ganhou uma bolsa para estudar na França, onde se tornou comunista. Quando a Albânia foi invadida pelos italianos, em 1939, ele já havia voltado para casa e montado uma tabacaria na capital, Tirana, que se tornaria a linha de frente da resistência. Quando o Partido Comunista da Albânia foi formado, em 1941, ele virou o seu secretário-geral e também comissário político junto ao Exército de Libertação Nacional, dominado por comunistas.

Com a retirada dos alemães, em 1944, ele estabeleceu um governo provisório e deu início a julgamentos de acusados de colaboracionismo, quase sempre executados. Quando a Iugoslávia rompeu com a União Soviética, em 1948, Hoxha expurgou o partido de comunistas pró-Tito. Seguidor de Stalin, Hoxha se desentendeu com seu sucessor, Kruschev, e alinhou a Albânia com a China de Mao Tsé-tung. Dentro das fronteiras, confiscou as propriedades privadas, fechou igrejas e mesquitas e arrebanhou a população para fazendas coletivas e fábricas recém-construídas. Quem resistisse era exilado, aprisionado ou fuzilado. Ainda assim, seus esforços para desenvolver o país fracassaram.

Por consequência da morte de Mao Tsé-tung, as relações com a China azedaram. Agora um pária internacional, Hoxha declarou que a Albânia se tornaria um paraíso socialista por sua própria conta. Em 1981, para assegurar seu poder, ele ordenou a execução de vários governantes e líderes partidários. Morreu em 1985 depois de 40 anos no poder. Logo em seguida, o próprio Partido Comunista foi deposto.

Seguidor de Stalin, Hoxha fechou igrejas e mesquitas e confiscou propriedades privadas

ALFREDO STROESSNER
APEGO AO PODER

1912-2006 **DITADOR DO PARAGUAI**

O general Alfredo Stroessner manteve mão de ferro sobre o Paraguai por 35 anos, no mais longo período contínuo de governo de um único indivíduo na América do Sul, no século XX. Nascido em Encarnación, filho de um cervejeiro alemão, Stroessner entrou para a escola militar aos 16 anos e recebeu sua comissão em 1932. Em 1940, já havia chegado ao posto de major e, em 1946, ao de general. Quando eclodiu a guerra civil, em 1947, no início ele permaneceu leal ao presidente Higinio Morínigo, mas depois apoiou Felipe Molas López em um bem-sucedido golpe. Então, apoiou Federico Chávez contra López e, em 1951, já era chefe do Estado-Maior das Forças Armadas. Em 1954, ele depôs Chávez, tornando-se presidente ao vencer uma eleição em que era o único candidato. Suprimiu os direitos constitucionais e prometeu "acabar com 50 anos de anarquia".

Ferrenho anticomunista, Stroessner tinha o suporte dos Estados Unidos. Seus partidários lotavam o Legislativo e comandavam o Judiciário, e ele reprimiu impiedosamente toda a oposição política. A Constituição teve de ser modificada em 1967 e 1977 para legitimar suas seis eleições consecutivas para a presidência. Em 1988, ganhou um inédito oitavo mandato por uma maioria que, segundo as estatísticas oficiais, fora de 90% a 98% dos votos registrados.

No entanto, quando o papa João Paulo II visitou o Paraguai alguns meses mais tarde naquele ano, Stroessner impediu o pontífice de se encontrar com líderes da oposição. O país se agitou e, no ano seguinte, um golpe liderado pelo general linha-dura Andrés Rodríguez, sogro de Stroessner, o apeou do poder. Ele foi forçado ao exílio no Brasil, onde passou os últimos 17 anos de vida, antes de morrer, em Brasília, em 16 de agosto de 2006.

Stroessner foi deposto após 35 anos no poder

KIM IL-SUNG
O "GRANDE LÍDER"

1912-1994   LÍDER DA COREIA DO NORTE

Originalmente chamado Kim Song-ju, ele fugiu com seus pais para a Manchúria, em 1925, para escapar à dura ocupação japonesa da Coreia. Entrou para o Partido Comunista, adotando o nome de um lendário guerrilheiro que combatera os japoneses no passado. Com a rendição destes, em 1945, a Coreia foi dividida em duas, com um governo apoiado pelos Estados Unidos, ao sul, e o governo de Kim, apoiado pela União Soviética, ao norte. Em 1950, ele buscou unificar o país à força, precipitando a Guerra da Coreia. Como resposta, forças das Nações Unidas, Estados Unidos à frente, invadiram o norte, e o Estado comunista de Kim só foi salvo por intervenção dos chineses.

Após o cessar-fogo, em 1953, Kim começou a expurgar a oposição interna. Ele instigou o culto à personalidade, autonomeando-se "grande líder" e enchendo o país de retratos e estátuas suas. Ao povo, foi imposto o trabalho em fábricas e fazendas coletivas.

Quando Kim Il-sung morreu, em 1994, seu filho Kim Jong-il lhe sucedeu como "líder supremo". Embora a fome assolasse o país, Kim Jong-il manteve as fronteiras da Coreia do Norte fechadas e sustentou um enorme programa militar e de armas nucleares até morrer, em 2011. Foi sucedido por Kim Jong-un.

Em 1950, Kim Il-sung tentou unificar o país à força e precipitou a Guerra da Coreia

Pinochet em 10 de março de 1998, quando entregou o comando do exército

EFE/ARCHIVO/EDUARDO BEYER

AUGUSTO PINOCHET
DITADURA SANGUINÁRIA

1915-2006   **PRESIDENTE DO CHILE**

Depois de ter tomado o poder em um sangrento golpe com apoio da CIA, o general Augusto Pinochet governou o Chile a golpes de cassetete por duas décadas, durante as quais violações de direitos humanos foram a norma.

Fruto de uma criação de classe média alta, Pinochet entrou para a academia militar, em Santiago, aos 18 anos, formando-se três anos depois como segundo-tenente. Em 1968, havia ascendido ao posto de general de brigada.

Em 1970, o socialista Salvador Allende tornou-se presidente do Chile com apoio dos democratas-cristãos e começou a reestruturar a sociedade chilena. Nesse processo, expropriou mineradoras de cobre de origem americana, indispondo o governo dos Estados Unidos e os investidores estrangeiros, e incomodou Washington ainda mais ao estabelecer relações com Cuba e a China comunista. O resultado foi a imposição de duras sanções econômicas ao Chile. A CIA passou a gastar milhões de dólares para desestabilizar o regime de Allende, e boa parte desse dinheiro foi parar nos bolsos de Pinochet.

Em 1972, a economia chilena enfrentava dificuldades. Sem investimento estrangeiro, a produção estava paralisada. Pinochet organizou um golpe, em 11 de setembro de 1973, sangrento até para os padrões da América Latina. A marinha tomou o porto-chave de Valparaíso, enquanto o exército cercou o palácio presidencial em Santiago. Allende recusou-se a abdicar. Quando o palácio foi invadido, algumas horas depois, ele foi encontrado morto. Pela versão oficial, ele se matou, mas a crença geral é que foi assassinado.

Uma junta assumiu o controle do país e declarou lei marcial. Quem violasse o toque de recolher era morto na hora. Pinochet foi nomeado presidente dois dias depois, cortando relações com Cuba e se voltando contra os partidários de Allende. Cerca de 14 mil pessoas seriam julgadas e executadas ou expulsas do país, sob o pretexto de "restaurar a normalidade institucional". Em junho de 1974, Pinochet assumiu poder absoluto, com o resto da junta relegado a papel consultivo. Sob sua tirania, estima-se que 20 mil pessoas tenham morrido e a tortura generalizou-se.

Ainda que Pinochet mantivesse controle ferrenho sobre a oposição política, ele foi rejeitado por um plebiscito em 1988. Acabaria abdicando em 1990 depois de assegurar imunidade em um processo no Chile, e manteve o posto de chefe do Estado-Maior das Forças Armadas. Contudo, em outubro de 1998, durante uma viagem de compras a Londres, foi preso com base em um mandado espanhol que o acusava de assassinato. Mais tarde, foi acusado de tortura e violação dos direitos humanos. Por 16 meses, pleiteou a extradição na corte britânica. Em janeiro de 2000, o secretário de Estado para Assuntos Internos, Jack Straw, considerou-o doente demais para encarar um julgamento e mandou-o de volta para o Chile. Ele morreu em 2006.

FERDINAND MARCOS
CASAL CORRUPTO

1917-1989 — PRESIDENTE DAS FILIPINAS

Formado em Direito, Marcos foi condenado pelo assassinato de um adversário político de seu pai em 1939 e, de dentro da cela, contestou a sentença, levando-a à Suprema Corte das Filipinas, onde conseguiu a absolvição. Durante a Segunda Guerra Mundial, colaborou com os japoneses que então ocupavam o país – ainda que mais tarde alegasse ter liderado a resistência filipina, ficção que os Estados Unidos corroboraram, outorgando-lhe medalhas.

Ele emergiu da guerra rico e tornou-se deputado e senador. Eleito presidente em 1965, foi reeleito em 1969, mas em 1972 declarou lei marcial, aprisionou os adversários políticos, dissolveu o Congresso, suspendeu o recurso do habeas-corpus e passou a usar o exército como força policial particular.

Escreveu então uma nova Constituição, que lhe dava poder consideravelmente maior. Sua esposa, Imelda, e outros membros de sua família ganharam postos lucrativos no governo. Enquanto o povo filipino vivia na pobreza, os Marcos apregoavam seu estilo de vida extravagante; Imelda se tornaria conhecida em todo o mundo por sua enorme coleção de sapatos.

Em 1981, Marcos revogou a lei marcial, mas continuou a governar por decreto. Benigno Aquino, líder da oposição, que fora para o exílio depois de aprisionado oito anos por Marcos, voltou em 1983, mas foi assassinado a tiros por ordem de Imelda em frente a um avião cheio de jornalistas ao desembarcar em Manila. Isso desencadeou distúrbios. Um inquérito oficial colocou a culpa em Fabian Ver, general de alto escalão e amigo da família Marcos. Ver acabaria absolvido.

Para reafirmar sua autoridade, Marcos convocou uma eleição. Corazón, viúva de Benigno Aquino, concorreu contra ele. Marcos foi declarado o vencedor, mas só depois de 30 juízes eleitorais terem abandonado suas funções em protesto contra a fraude. Ele mandou prender seus oponentes, suscitando mais distúrbios. Em 25 de fevereiro de 1986, tanto Marcos quanto Aquino foram empossados em cerimônias concorrentes. Na noite seguinte, Marcos jogou a toalha e, aceitando a oferta dos Estados Unidos, partiu com a esposa para o exílio no Havaí.

O casal havia se apropriado indevidamente de milhões de dólares, mas Marcos foi considerado muito doente para passar por um julgamento e morreu em 28 de setembro de 1989. Imelda foi absolvida da acusação de extorsão por uma corte federal americana em 1990, mas em 1993 uma corte filipina a condenou por corrupção.

NICOLAE CEAUSESCU
ESTADO POLICIAL

1918-1989 | **DITADOR DA ROMÊNIA**

Ceausescu e sua família enriqueceram, enquanto o país sofria com a pobreza

Nicolae Ceausescu foi o líder comunista linha-dura da Romênia, cujo governo tirânico manteve o país na pobreza por 25 anos. Durante a Segunda Guerra Mundial, já militante, ele foi aprisionado com o influente líder comunista Gheorghe Gheorghiu-Dej, enquanto sua esposa, Elena, também comunista, confraternizava abertamente com oficiais nazistas.

Quando o Exército Vermelho entrou na Romênia, em 1944, Ceausescu tornou-se secretário da União da Juventude Comunista. Quando um governo comunista foi instalado, em 1947, ele foi escolhido ministro da Agricultura. Em 1950, passou a vice-ministro da Defesa. Quando Gheorghiu-Dej chegou ao poder, em 1952, Ceausescu era seu braço-direito. Ao suceder-lhe em 1965, tornou-se primeiro-secretário e depois secretário-geral do Partido

Comunista. Em 1967, passou a presidente do Conselho de Estado e chefe de Estado também.

Na política externa, Ceausescu manteve distância de Moscou, mas internamente o regime era opressor. Sua temida polícia secreta, a Securitate, esmagava toda oposição e mantinha controle implacável da imprensa e da mídia. A Romênia pôs em prática em um programa intensivo de industrialização, que legou ao país uma gigantesca dívida externa. Para pagá-la, ele exportava a maior parte do suprimento de alimentos do país. O resultado: fome generalizada.

Ele supervisionou um ambicioso programa de construções, que demoliu aldeias romenas ancestrais, substituindo-as por prédios de apartamentos sem alma, ao estilo soviético. Áreas inteiras da capital, Bucareste, foram demolidas para erguer palácios para os Ceausescu.

Enquanto isso, os empobrecidos romenos sofriam com um megalomaníaco culto à personalidade de Ceausescu e sua esposa. Membros da família ganhavam posições lucrativas no governo e seu repugnante filho Nicu cometia estupros impunemente.

Apesar da opressão impiedosa, a oposição crescia. Em 17 de dezembro de 1989, Ceausescu ordenou à polícia secreta que atirasse em manifestantes contra o governo na cidade de Timisoara. Isso fez com que as manifestações se espalhassem e Ceausescu ouviu gritos para que se calasse durante um discurso, algo que jamais ocorrera antes.

Em 22 de dezembro, o exército romeno tomou partido dos manifestantes. Ceausescu e sua esposa tentaram fugir da capital de helicóptero, mas foram capturados. Em 25 de dezembro, foram julgados por um tribunal militar, condenados por assassinatos em massa e executados por um pelotão de fuzilamento. Cinco meses mais tarde, ocorreram as primeiras eleições livres na Romênia em mais de 50 anos.

JEAN BEDEL BOKASSA
IMPERADOR ASSASSINO

1915-2006 | **PRESIDENTE DA REPÚBLICA CENTRO-AFRICANA**

Nascido na África Equatorial Francesa, filho de um chefe de aldeia, Jean Bedel Bokassa ficou órfão aos 12 anos e entrou para o exército colonial francês como recruta, em 1939. Destacou-se na Guerra da Indochina, ascendendo ao posto de capitão.

Quando a África Equatorial Francesa ganhou sua independência, em 1960, sob o nome de República Centro-Africana, o novo presidente, David Dacko, convidou Bokassa para chefiar as forças armadas. Em 1966, Bokassa depôs Dacko e se autodeclarou presidente. Ele iniciou um reinado de terror, supervisionando pessoalmente castigos físicos ordenados pela lei. Ladrões tinham uma orelha cortada pelas duas primeiras transgressões e uma das mãos pela terceira.

Em 1977, imitando seu herói, Napoleão, ele coroou-se imperador do Império Centro-Africano em uma cerimônia que teria custado US$ 20 milhões e ajudado a quebrar o país. Seu governo tornou-se ainda mais tirânico. Em 1979, mandou prender centenas de crianças por se recusarem a usar uniformes escolares confeccionados em uma fábrica de sua propriedade – e 100 dessas crianças foram massacradas pela Guarda Imperial.

Em 20 de setembro de 1979, para-quedistas franceses o depuseram e reconduziram Dacko à presidência. Bokassa se exilou na França, onde tinha um castelo e outras propriedades. Em sua ausência, foi julgado e condenado à morte.

Inexplicavelmente, ele retornou à República Centro-Africana em 1986 e foi julgado. Em 1987, foi inocentado das acusações de canibalismo, mas considerado culpado do assassinato das crianças e outros crimes. A sentença de morte foi atenuada para prisão perpétua, mas ele seria libertado em 1993, apenas seis anos depois, e morreria em 1996.

ROBERT MUGABE
TIRANO LONGEVO

NASCIDO EM 1924 — PRESIDENTE DO ZIMBÁBUE

Robert Mugabe se preparou para o magistério em uma escola missionária católica na Rodésia. Foi apresentado à política nacionalista na universidade, na África do Sul, e tornou-se marxista durante os anos que passou em Gana. No retorno à Rodésia, em 1960, ajudou a formar a União Nacional Africana do Zimbábue (Zanu) e, em 1964, foi aprisionado durante dez anos por atividades políticas. Emergiu da prisão como líder do Zanu.

Com Nkomo, chefiou a Frente Patriótica (FP) em seu combate de guerrilha contra o governo exclusivamente branco de Ian Smith, a partir de bases nos vizinhos Angola, Moçambique e Zâmbia. Em 1979, passou a participar de conversas em Londres sobre um governo da maioria. Nas eleições do ano seguinte, o Zanu venceu disparado e Mugabe tornou-se primeiro-ministro.

Apesar das garantias, Mugabe transformou a democracia parlamentar do Zimbábue de democracia parlamentar em Estado socialista de partido único, com um comitê central e um politburo. Em 31 de dezembro de 1987, ele se tornou o primeiro presidente executivo do Zimbábue e primeiro-secretário do Zanu-FP. A classe média branca começou a deixar o país e a economia, a vacilar.

Em 2000, Mugabe iniciou a expropriação de terras de fazendeiros brancos e a entregá-las a "veteranos de guerra". Grande parte dessa terra foi parar nas mãos de sua família e asseclas. Desde 2002, quando venceu uma eleição amplamente desacreditada, seu regime vem sendo submetido a sanções dos Estados Unidos e da União Europeia, e a oposição política, liderada por Morgan Tsvangirai, tem se intensificado. Tudo isso apesar de táticas de intimidação, que incluíram a prisão e espancamento de Tsvangirai em 2007.

Mugabe em 2013, quando venceu eleições sob acusação de fraudes

AARON UFUMLI

Em 2008, Mugabe sofreu uma derrota apertada para o Movimento para a Mudança Democrática, de Tsvangirai, no primeiro turno das eleições, mas venceu o segundo. Contudo, em setembro daquele ano, as duas forças assinaram um acordo de compartilhamento de poder, através do qual Tsvangirai se tornou primeiro-ministro e Mugabe, presidente. O acordo pouco fez para reprimir a violência dos capangas do Zanu-PF. Os rumores de que Mugabe está morrendo de câncer de próstata, contudo, se intensificaram depois que ele venceu as eleições de 2013, sob acusações de fraude.

IDI AMIN
REI DA ESCÓCIA

1924-2003 — **PRESIDENTE DE UGANDA**

Membro da pequena tribo kakwa, Idi Amin Dada Oumee entrou para o exército britânico em 1943 e lutou em Burma na Segunda Guerra Mundial e no Quênia durante a revolta dos Mau-Mau. Foi campeão de boxe peso-pesado em Uganda e um excelente jogador de rúgbi.

Quando Uganda ganhou sua independência, em 1962, ele passou a comandar o exército e a força aérea. Em 1971, organizou um golpe militar, depondo o presidente Milton Obote e tomando o cargo para si. Em 1975, se autopromoveu a marechal de campo e, no ano seguinte, tornou-se presidente vitalício. Em uma entrevista pelo rádio, disse: "Eu me considero a figura mais importante do mundo".

Ridicularizado mundo afora por sua pretensão – alegava ter vencido o Império Britânico e ser um rei escocês –, era, por trás dos uniformes vistosos, um frio assassino. Matava maridos e namorados de qualquer mulher que lhe interessasse, guardando partes dos corpos em uma geladeira. Eliminou esposas e amantes sob suspeita de adultério. Dava às tropas liberdade semelhante e o estupro era comum. Tribos inteiras eram perseguidas e estima-se que, durante seu domínio, entre 100 mil e 300 mil ugandenses tenham sido torturados e assassinados.

Em 1972, ele expulsou todos os ugandenses de ascendência asiática, o que favoreceu o colapso da economia do país. Ele se aliou a Muamar Kadafi, na Líbia, e deu apoio ao terrorista Carlos por ocasião do sequestro de um avião de passageiros francês com destino a Entebbe, em julho de 1976. Em outubro de 1978, tropas da Tanzânia, com apoio de unidades de Uganda que haviam saído do país, alcançaram a capital, Kampala, em 13 de abril de 1979. Amin fugiu para a Líbia e depois se estabeleceu na Arábia Saudita, onde viveu exilado até sua morte, em 2003.

Idi Amin durante entrevista em 1975: assassino frio

Fidel Castro durante visita aos Estados Unidos, em 1959

FIDEL CASTRO
REVOLUÇÃO E PAREDÓN

NASCIDO EM 1926 | **PRESIDENTE DE CUBA**

Embora o líder revolucionário de Cuba, Fidel Castro, tenha passado sua lua de mel nos Estados Unidos em 1948 e considerado permanecer para estudar em Columbia, ele se tornaria o mais implacável inimigo do país nos anos 1960.

Quando Castro assumiu o poder em Cuba, em 1959, não era comunista. Na verdade, os Estados Unidos não hesitaram em reconhecer seu regime. Ele visitou Washington e assegurou aos congressistas de que manteria o tratado de defesa mútua entre Cuba e Estados Unidos. Contudo, as relações esfriaram quando ele começou a nacionalizar plantações de açúcar de propriedade americana.

Em fevereiro de 1960, Castro assinou um acordo para vender açúcar à União Soviética, para desagrado do governo americano. Em setembro, fez um discurso de quatro horas na Assembleia Geral das Nações Unidas, em Nova York, denunciando "monopolistas" e "imperialistas" americanos. Mas foi apenas em 1961 que o Partido do Povo Cubano, de Castro, fundiu-se ao Partido Comunista de Cuba e ele se tornou secretário-geral. Como resultado, começou a fomentar revoluções na África e na América Latina.

Castro era filho ilegítimo de um plantador de açúcar espanhol. Foi criado no catolicismo, cursando um colégio jesuíta. Durante os cinco anos que passou na Escola de Direito da Universidade de Havana, envolveu-se com a violenta política estudantil de Cuba. Foi acusado do assassinato de outro líder estudantil, embora isso nunca tenha sido provado. Ele participou de uma tentativa de invasão da República Dominicana em 1947 e dos conflitos de rua em Bogotá, Colômbia, no ano seguinte. Em 1952, candidatou-se à Câmara dos Deputados de Cuba, mas o presidente, o general Fulgencio Batista, cancelaria as eleições. Em 26 de julho de 1953, Castro organizou uma insurreição abortada em Santiago. Seus companheiros foram mortos a tiros e ele, preso. No julgamento, atacou o regime repressor de Batista, concluindo com as famosas palavras: "A história me absolverá".

Em 1955, foi para o México, onde formaria a organização revolucionária Movimento 26 de Julho. Em dezembro de 1956, retornou a Cuba em um pequeno barco a motor, o Granma. Sua pequena força de desembarque foi metralhada por aviões. A maior parte de seus membros morreu. Castro sobreviveu e, após três anos de combates na Sierra Maestra, chegou ao poder como cabeça de uma revolução popular.

Ele seria primeiro-ministro, depois presidente e, então, chefe do partido. Alguns meses depois de ter tomado o poder, mandou prender cerca de 4.500 suspeitos de dissidência, que, em 1960, passaram por julgamentos em massa. Muitos foram para o *paredón* (o historiador cubano Leopoldo Fornés-Bonavía calcula em 4 mil o número de fuzilados até 1961).

A CIA logo começaria a treinar exilados cubanos anticastristas. A resposta de Castro foi tomar todos os ativos americanos em Cuba, inclusive a embaixada. Enquanto Kennedy impunha um embargo a bens cubanos, muitos europeus enxergavam Castro como uma figura romântica: a Grã-Bretanha foi o primeiro país a romper o bloqueio. A rejeição dos americanos a Castro resultou na malsucedida invasão da baía dos Porcos. A resposta foi permitir aos soviéticos instalar mísseis nucleares na ilha, precipitando a Crise dos Mísseis.

A CIA ainda tentaria assassinar Fidel, sem sucesso, várias vezes, com truques como envenenar-lhe os charutos. Agentes renegados da CIA tentaram envolver até mesmo a Máfia, que havia perdido seus cassinos em Havana. Castro tinha um conhecido fraco por mulheres. Uma de suas amantes era uma jovem alemã residente em Nova York, chamada Marita Lorenz. Após o fim do caso, a CIA a persuadiu a retornar a Havana para envenená-lo, mas a trama fracassou.

Apesar do isolamento internacional – em especial após o colapso da União Soviética –, Castro segurou-se no poder, com apoio da população. Mas parte do seu povo arriscava quase tudo para fugir. Em 2003, 75 dissidentes foram presos por ousar erguer a voz contra o governo. Os relatos de maus-tratos são incontornáveis. Por outro lado, o povo cubano goza de generoso e eficiente sistema de saúde e benfeitorias sociais.

Em julho de 2006, Castro cedeu o poder temporariamente a seu irmão, Raúl, antes de passar por uma cirurgia. Dois anos depois, abriu mão da presidência em caráter definitivo. Em 2011, renunciou à liderança do Partido Comunista.

EFRAÍN RÍOS MONTT
TIRANO CONDENADO

NASCIDO EM 1926 — **DITADOR DA GUATEMALA**

O general Efraín Ríos Montt é um ditador assassino e, como vários colegas latino-americanos, um produto da Escola das Américas, administrada por militares americanos no Panamá. Dos anos 1950 em diante, a notória "escola de golpes" ensinou os alunos a contribuir para a derrota do comunismo (e outros interesses dos Estados Unidos) por meio da usurpação do poder político na América Latina custasse o que custasse, mesmo tortura, assassinato e "desaparecimentos". Ríos Montt é, também, pastor ordenado pela autoritária e direitista igreja evangélica Gospel Outreach, da Califórnia.

Depois de um golpe militar orquestrado pelos Estados Unidos, em 1954, a Guatemala tornou-se um componente-chave da estratégia "contrainsurgente" daquele país na América Central. Contudo, em 1960, estourou uma guerra civil que nunca recrudesceu. A situação piorou em 1970, quando a eleição presi-

Ríos Montt (ao centro) em 23 de março de 1982, quando tomou o poder do país

dencial foi vencida por Arana Osorio, candidato "da lei e da ordem", sob a promessa de que "pacificaria" o país exterminando as guerrilhas de esquerda. Na prática, isso significou que esquadrões da morte ligados à polícia ou ao exército começaram a assassinar líderes da oposição de forma sistemática.

Em 1974, Ríos Montt era líder da ala progressista das forças armadas. Quando ficou claro que ele triunfara nas eleições, a contagem foi suspensa e seu oponente, o general Kjell Laugerud García, declarado vencedor. Em março de 1982, as eleições foram vencidas por um candidato de coalizão, o general Ángel Aríbal Guevara. Mas, em 23 de março, uma junta liderada por Ríos Montt tomou o poder. Rapidamente, ele a dissolveria e assumiria o poder absoluto, prometendo desmantelar os esquadrões da morte, acabar com a corrupção e pôr fim à guerrilha por meio da assim denominada ofensiva de "armas e feijão".

Um relatório subsequente encomendado pelas Nações Unidas revelou que pelo menos 448 aldeias, a maior parte delas indígenas, fora varrida do mapa. A escolha do povo maia como alvo fez com que centenas de milhares fugissem para as montanhas ou cruzassem a fronteira com o México. Muitos dos que permaneceram foram encurralados em vilarejos para trabalhar na agricultura de exportação. De acordo com a Anistia Internacional, em apenas quatro meses foram documentados mais de 2 mil assassinatos cometidos pelo exército guatemalteco. "Gente de todas as idades foi não só morta a tiros, mas queimada viva, brutalizada até morrer, estripada, afogada, decapitada. Crianças eram arremessadas contra as pedras ou mortas a golpes de baioneta." No entanto, o presidente dos Estados Unidos, Ronald Reagan, que visitou a Guatemala na época, celebrou Ríos Montt como "totalmente dedicado à democracia". "Nós não temos uma política de terra arrasada. Nós temos uma política de arrasar comunistas", completou Ríos Montt.

Ele logo se tornou uma fonte de constrangimento internacional e foi derrubado em agosto de 1983 pelo general Oscar Humberto Mejía. O partido político fundado por Ríos Montt, a ultradireitista Aliança Republicana da Guatemala (FRG), contudo, obteve maioria no Congresso. Ríos Montt tornou-se presidente do Parlamento, mas impedido de concorrer à presidência novamente. No entanto, a violação dos direitos humanos não foi esquecida. O próprio irmão, o bispo Mario Ríos Montt, diretor do comissariado de direitos humanos da Igreja Católica para a Guatemala, em 1998, buscou trazer à tona a verdade sobre o massacre de 200 mil pessoas durante a guerra civil e o genocídio do povo maia durante sua presidência, entre 1982 e 1983.

Em 2007, ele concorreu a uma vaga no Congresso e se elegeu, liderando mais uma vez a bancada do FRG e, o que é mais significativo, tornando-se imune a processos. Contudo, em janeiro de 2012, quando o mandato terminou, ele foi levado à Justiça da Guatemala e condenado a 50 anos por genocídio e a 30 anos por crimes contra a humanidade. O tribunal constitucional anulou o veredicto por uma tecnicalidade e determinou a abertura de novo julgamento. Uma nova data foi estabelecida para a reabertura do caso: 23 de julho. Mas nada parece garantido. Em função da idade avançada, o estado de saúde de Ríos Montt vem piorando.

POL POT
GENOCÍDIO VERMELHO

1925-1998 — LÍDER DO CAMBOJA

Pol Pot foi responsável pela morte de mais de 1 milhão de seus compatriotas em uma sangrenta tentativa de criar uma sociedade socialista em que não existisse dinheiro e de atrasar o relógio no Camboja até o "ano zero".

Nascido com o nome Saloth Sar, Pol Pot trabalhou em um seringal na juventude e estudou por dois anos para tornar-se monge budista. Durante a Segunda Guerra Mundial, entrou para o movimento de resistência de Ho Chi Minh, a fim de combater os colonizadores franceses. Em 1946, já era membro do clandestino Partido Comunista da Indochina. Em 1949, ganhou uma bolsa para estudar engenharia de radiofrequência em Paris, mas passou o seu tempo envolvido em atividades políticas, sendo reprovado por três anos seguidos nas provas, fracasso mais tarde visto como um fator que contribuiu para seu anti-intelectualismo. De volta ao Camboja, trabalhou como professor de geografia em um colégio particular na capital, Phnom Penh, e escreveu artigos para publicações de esquerda.

Quando os franceses se retiraram da Indochina, em 1954, o príncipe Norodom Sihanouk tomou o poder no Camboja. Pol Pot lhe fazia oposição. No congresso de fundação do Partido Comunista Cambojano, em 1960, foi eleito para o comitê central, tornando-se secretário em 1963. Para se proteger da repressão, Pol Pot e outros líderes comunistas fugiram para a selva. Lá, ele assumiu o comando de um exército guerrilheiro, o Khmer Vermelho.

Embora Sihanouk alegasse neutralidade, a guerra no vizinho Vietnã desestabilizaria o Camboja. Em 1970, os Estados Unidos apoiaram a derrubada do regime de Sihanouk pelo general Lon Nol, pró-americano. Com apoio dos comunistas vietnamitas, o Khmer Vermelho lançou uma guerra de guerrilha contra Lon Nol. A incursão dos Estados Unidos no Camboja, em 1970, e sua contínua campanha de bombardeios além da fronteira valeram a compaixão internacional e o aumento das fileiras do Khmer Vermelho.

Em 1975, o Vietnã do Sul caía nas mãos dos comunistas

> Pol Pot estudou para ser monge budista, mas acabou como líder assassino

e o Khmer Vermelho derrubava, no Camboja, o regime apoiado pelos Estados Unidos. Pol Pot mudou o nome do país para Kampuchea. Evacuou Phnom Penh, fazendo seus 2 milhões de habitantes marcharem para o interior sob mira de armas. Sua meta era transformar os instruídos moradores de classe média das cidades em camponeses virtuosos, como os que haviam apoiado seu exército de guerrilha durante os anos de luta. Seu plano era levar o Camboja de volta ao "ano zero" e construir de baixo para cima uma perfeita sociedade socialista. Dinheiro e propriedade foram abolidos; livros, queimados; casas particulares, demolidas; templos, dessacralizados, e qualquer símbolo da tecnologia ocidental, de carros a equipamento médico, destruído.

Para construir sua sociedade utópica, Pol Pot fez do Camboja um vasto campo de trabalho escravo. Crianças foram encorajadas a delatar os pais. Profissionais, inclusive médicos e professores, eram mortos em massa nos "campos", assim como qualquer pessoa que falasse francês ou usasse óculos, vistos como marca de intelectuais. Durante os quatro anos do regime de Pol Pot, cerca de 1,7 milhão de pessoas (mais de 20% da população) morreram por doenças, fome, maus-tratos, trabalhos forçados, tortura e execução.

Em 1979, os vietnamitas invadiram o país e puseram fim ao holocausto. Pol Pot e seus seguidores fugiram para a área montanhosa na fronteira com a Tailândia, onde continuaram sua luta. O Khmer Vermelho chegou a retornar ao poder em vários governos de coalizão, até mesmo renunciando ao comunismo. Pol Pot jamais foi julgado por seus crimes e morreu aos 73 anos, de causas naturais.

MOBUTU SESE SEKO
"GUERREIRO TODO-PODEROSO"

1930-1997 — **DITADOR DO CONGO**

Nascido Joseph-Désiré Mobutu, o futuro ditador alistou-se no exército do Congo Belga em 1949, ascendendo ao posto de sargento-mor (o mais alto permitido a um africano) antes de se voltar para o jornalismo, em 1956. Entrou para o Movimento Nacional Congolês (MNC) em 1958, representando-o em Bruxelas, nas negociações de independência. Em junho de 1960, quando o país se tornou independente, foi nomeado secretário da Defesa. Em setembro daquele ano, organizou um golpe em que o líder popular Patrice Lumumba foi assassinado.

Em fevereiro de 1961, Mobutu devolveu o poder ao presidente Joseph Kasavubu, permanecendo como comandante em chefe do exército, mas organizou novo golpe em 1965, dessa vez tomando para si a presidência. Passou a governar por decreto e o Movimento Popular da Revolução, que encabeçava, tornou-se o único partido permitido. Ele nacionalizou as minas de cobre em Katanga e africanizou nomes ao redor

Sese Seko em maio de 1978: grande fortuna no exterior

do país. Em outubro de 1971, mudou o nome da nação para República do Zaire. Em janeiro, adotou o nome Mobutu Sese Seko Koko Ngbendu Wa Za Banga, que significa "o guerreiro todo-poderoso que, devido à sua resistência e inflexível desejo de vencer, segue de conquista em conquista, deixando um rastro de fogo".

Reeleito para a presidência em 1970 e 1977, acumulou em solo estrangeiro uma das maiores fortunas do mundo. Com o fim da Guerra Fria, o governo de Mobutu perdeu o apoio do Ocidente, mas ele conseguiu se sustentar no poder até que em 1997, doente e sem amigos, foi derrubado pelo líder rebelde Laurent Kabila e foi para o exílio, primeiramente no Togo, depois no Marrocos, onde morreu de câncer de próstata naquele ano, em setembro.

MENGISTU HAILE MARIAM
TERROR VERMELHO

NASCIDO EM 1937 | GOVERNANTE DA ETIÓPIA

Condenado à pena de morte, Mengistu vive sob proteção no Zimbábue

Oficial do exército etíope, Mengistu foi treinado nos Estados Unidos. Ascendendo ao posto de major, tramou um golpe e depôs o imperador Hailé Selassié em setembro de 1974. Selassié foi mantido em prisão domiciliar no seu palácio até ser estrangulado – suspeita-se que por ordens de Mengistu – no ano seguinte.

Em 23 de novembro, Mengistu ordenou o assassinato de 60 líderes do regime imperial. Em fevereiro de 1977, agora promovido a tenente-coronel, mandou matar o novo chefe de Estado, tomando o seu lugar. Lançou então a campanha do "Terror Vermelho" para esmagar qualquer resistência e, com a ajuda de soldados cubanos e armas soviéticas, repeliu a invasão somali.

Em 1984, estabeleceu o Partido dos Trabalhadores da Etiópia. Esboçou uma nova Constituição e foi eleito presidente por uma nova Assembleia Nacional. A essa altura, a Eritreia e o Tigre, ao norte do país, haviam se rebelado. Em 1991, quando cessou o apoio soviético, fugiu para o Zimbábue, onde até hoje é protegido pelo ditador local, Robert Mugabe. Em janeiro de 2007, foi condenado à prisão perpétua na Etiópia, sendo considerado culpado de genocídio *in absentia*. Em 2008, a sentença foi alterada para pena de morte. Contudo, o governo do Zimbábue se recusou a entregá-lo e ele permanece até hoje no país, numa vida confortável, mas reclusa.

SADDAM HUSSEIN
PODER A QUALQUER CUSTO

1930-2006   PRESIDENTE DO IRAQUE

Saddam al-Tikriti ficou órfão aos 9 anos e foi criado por seu tio Khairallah Talfah, que liderou um malfadado golpe com apoio dos nazistas em 1941. Com problemas de aprendizado, não passou no teste para entrar na Academia Militar de Bagdá e ingressou no Partido Socialista Baath, em 1957.

Já tendo matado um político comunista que confrontara seu tio, Saddam se ofereceu para assassinar o presidente Abdul Karim Kassim, que derrubara a monarquia iraquiana em 1958. A tentativa falhou e Saddam, ferido na perna, fugiu para o Egito, abandonando o nome al-Tikriti e usando como sobrenome o prenome de seu pai, Hussein, para evitar a prisão.

De volta a Bagdá, organizou a milícia do Ba'ath, que tomou o poder em 1963. Mas o partido seria deposto ainda naquele ano, e Saddam, aprisionado. Ele, porém, escapou e, como líder do Ba'ath, deu novo golpe em 1968. A princípio, governou juntamente com o presidente Ahmad Hassam al-Bakr até 1979, ano em que consolidou sua posição como chefe de Estado mandando matar centenas de rivais.

Saddam e sua família se apossaram de todos os níveis de poder. Ele instigou um culto à personalidade no intuito de se fazer líder no mundo árabe. Sua polícia secreta eliminou toda a oposição interna. Questionado por um entrevistador europeu sobre os relatos de que as autoridades de Bagdá teriam torturado e matado oponentes do regime, Saddam respondeu: "O que você espera, se eles se opõem ao regime?".

Em 1980, ele invadiu os campos petrolíferos do Irã, mas a ofensiva se atolou em uma dispendiosa guerra de exaustão, que terminou em um impasse em 1988. Centenas de milhares foram mortos. Naquele mesmo ano, ele usou gás asfixiante contra os curdos que se opunham ao seu governo. Em 1990, invadiu o Kuwait, na intenção de anexar o país. No ano seguinte, uma coalizão liderada pelos Estados Unidos expulsou suas tropas, infligindo-lhe uma fragorosa derrota, mas deixando-o no poder.

Durante a guerra, Saddam autorizou ataques com mísseis a Israel, país que não fazia parte do conflito. Suas forças aterrorizaram a população do Kuwait e, enquanto batiam em retirada, poluíram o golfo Pérsico com derramamentos de óleo e incendiaram em mais de 300 poços de petróleo.

Doze anos de sanções das Nações Unidas não conseguiram apeá-lo do poder e, em 2003, forças anglo-americanas invadiram o Iraque. Saddam desapareceu, mas seus dois filhos, Uday e Qusay, ambos assassinos psicopatas, morreram em uma troca de tiros. Em 15 de dezembro de 2003, soldados americanos promoveram um ataque ao amanhecer contra uma pequena cidade iraquiana chamada Ad-Dawr, a 16 quilômetros ao sul da cidade natal de Saddam, Tikrit. Durante o ataque, eles descobriram um *bunker* subterrâneo. Dentro, encolhido, maltrapilho, barbudo e sujo, estava o ex-"homem forte" do Iraque, líder de seu povo e pai de sua pátria. Julgado pelo Tribunal Especial Iraquiano pelo assassinato de 148 xiitas em Dujail, em 1982, ele foi considerado culpado de crimes contra a humanidade e condenado à forca. Imagens de Saddam sendo conduzido ao local de sua execução, em 30 de dezembro de 2006, foram transmitidas ao redor do mundo.

Saddam em 1980: perseguição a curdos e milhares de mortos

SLOBODAN MILOSEVIC
GENOCÍDIO EUROPEU

1941-2006 | **PRESIDENTE DA SÉRVIA**

Slobodan Milosevic foi o líder sérvio durante o colapso da Iugoslávia. Jogou seu povo em meio a uma guerra, e sua implacável busca por "limpeza étnica" levou a numerosos massacres, até que a Otan finalmente interviesse para defender o povo do Kosovo. Milosevic foi então derrubado por sua própria gente e entregue ao Tribunal de Crimes de Guerra das Nações Unidas, em Haia.

Milosevic foi um obscuro burocrata do Partido Comunista até abril de 1987, quando fez um discurso em Pristina, capital do Kosovo, para uma multidão de furiosos sérvios que protestavam contra um suposto assédio da comunidade de maioria albanesa.

Ele tiraria o controle do Partido Comunista Sérvio de seu amigo e aliado Ivan Stambolic e, em 1989, se tornaria presidente da Sérvia. No janeiro do ano seguinte, o Partido Comunista Iugoslavo se desmantelou quando as delegações eslovena e croata abandonaram o congresso da agremiação, em Belgrado, o que levaria ao seu colapso.

Em julho de 1990, o Partido Comunista Sérvio mudou seu nome para Partido Socialista Sérvio, mas manteve suas estruturas de poder e o controle da mídia estatal. Milosevic advertiu que, caso a nação iugoslava se dissolvesse, seria necessário redesenhar as fronteiras da Sérvia, para incluir os sérvios que viviam em outras repúblicas.

Quando a Croácia declarou sua independência, a minoria sérvia que havia proclamado autonomia regional em Krajina recorreu a Milosevic. Em dezembro de 1991, o exército e os separatistas sérvios já haviam tomado quase um terço do território da Croácia. Cerca de 20 mil pessoas foram mortas e outras 400 mil ficaram sem casa. A ONU impôs sanções econômicas.

A Bósnia declarou sua independência em abril de 1992 e a violência eclodiu república afora, com Milosevic jurando defender a minoria sérvia do país, bem como protegê-la do que ele chamava de "genocídio croata" e "fundamentalismo islâmico". Mais de três anos de combate se seguiram, o mais sangrento na Europa desde a Segunda Guerra.

Os crimes de guerra sérvios, que vergonhosamente incluíram estupros e massacres nas chamadas "áreas seguras das Nações Unidas" de Gorazde e Srebrenica, chegaram ao conhecimento público e a Sérvia tornou-se um Estado pária.

Em 1995, a Croácia recuperou boa parte do território, resultando no êxodo de cerca de 200 mil sérvios da sua autoproclamada República Sérvia de Krajina. A isso se seguiu uma ofensiva bem-sucedida contra os sérvios bósnios. Três semanas de bombardeio da Otan forçaram Milosevic a ir para a mesa de negociação, e o Tratado de Paz de Dayton pôs fim à guerra na Bósnia.

A guerra tornara Milosevic impopular, mas ele superou enormes ondas de protestos contra o seu governo durante o inverno de 1996-1997. Muitos manifestantes foram brutalmente espancados pela polícia, mas em julho de 1997 Milosevic foi eleito presidente da Iugoslávia pelo Parlamento federal, controlado por seus partidários. Ele tentou expulsar a maioria muçulmana do Kosovo. A Otan começou então uma campanha de bombardeios que deixou a Sérvia em ruínas.

Milosevic retirou suas tropas do Kosovo. Com a infraestrutura da Sérvia arruinada e a economia destruída por novas sanções, ele ressurgiu como reconstrutor da nação. Contudo, em 2000 se viu forçado a convocar eleições. E perdeu.

Quando Milosevic se recusou a reconhecer a vitória do líder da oposição, Vojislav Kostunica, centenas de milhares foram às ruas. Muitos policiais retiraram os capacetes e se juntaram aos manifestantes. Em 6 de outubro, ele foi forçado a aceitar a derrota. No dia seguinte, Kostunica foi empossado como o novo presidente iugoslavo.

Em junho de 2001, Milosevic foi entregue ao Tribunal de Haia para ser julgado, mas morreu de ataque do coração, em março de 2006, antes do fim do julgamento.

MUAMAR KADAFI
ISLAMISMO E TIRANIA

1942-2011 PRESIDENTE DA LÍBIA

Nascido no deserto, como beduíno, Muamar Kadafi foi criado na tradição da luta contra o imperialismo. Seu avô fora morto por um colonizador italiano em 1911, bem antes de os britânicos expulsarem os italianos da sua Líbia natal na Segunda Guerra Mundial. Para Kadafi, porém, todos os europeus eram inimigos.

Desde muito jovem, Kadafi idolatrava Gamal Abdel Nasser, o militar egípcio que tomou o poder em seu país por meio de um golpe, em 1954, e nacionalizou o canal de Suez. Kadafi começou a própria célula revolucionária, que planejava a derrubada do rei Idris, da Líbia, apesar de ele pertencer à Liga Árabe.

Em 1959, descobriu-se petróleo na Líbia, o que trouxe riqueza ao país, mas também uma multidão de estrangeiros. Na Universidade da Líbia, Kadafi formou-se em História e Ciência Política. Inicialmente, era marxista, mas o Islã seria a sua grande fonte ideológica. Como Nasser chegara ao poder por meio do exército, Kadafi se inscreveu na Academia Militar, em Benghazi, depois de ter se formado na universidade, em 1964, e dali ele e seus amigos continuaram a tramar a derrubada do governo.

Formado em 1965 e promovido a oficial-assistente do setor de Comunicações, em 1969 Kadafi e seus jovens amigos se anteciparam a oficiais de alta patente que tramavam contra o rei e deram um

Kadafi durante Cúpula da União Africana, em 2009: atuação antiocidental

golpe próprio, sem derramamento de sangue. Tomaram o palácio real, os escritórios do governo, as estações de rádio e televisão e os jornais. Kadafi tinha apenas 27 anos.

Com a ajuda de Nasser, o novo líder pôs em prática uma linha de atuação antiocidental. Bases americanas e britânicas foram fechadas e, em 1970, judeus e italianos foram expulsos da Líbia. Kadafi tentou estabelecer o mesmo tipo de socialismo que Nasser, nacionalizando petrolíferas e iniciando um processo de industrialização. Ele tentou ainda exportar a revolução e foi implicado em tentativas de golpe no Sudão e no Egito. Seguindo os preceitos islâmicos, baniu álcool e jogos de azar. Ele delinearia sua visão de um socialismo islâmico nos dois volumes de O livro verde, publicados em 1976 e 1980.

Seu regime deu apoio a grupos revolucionários ou terroristas, incluindo o IRA, na Irlanda do Norte, os Panteras Negras e a Nação do Islã, nos Estados Unidos, e Carlos, o Chacal. Financiou o Movimento Setembro Negro, responsável pelo sequestro de atletas israelenses na Olimpíada de Munique, em 1972, e pela explosão de uma bomba em uma discoteca alemã, em 1986, que matou um americano e uma alemã e feriu 150 pessoas. Em retaliação, aviões americanos bombardearam a Líbia em 1986, matando vários filhos de Kadafi e, por muito pouco, não acertando ele próprio. Quando o voo 103 da Pan Am explodiu no espaço aéreo da cidade escocesa de Lockerbie, em 1988, as suspeitas recairiam sobre a Líbia de Gaddafi. Em 2001, um funcionário do governo líbio foi considerado culpado. O país admitiu a responsabilidade em 2003 e concordou com o pagamento de indenizações a parentes das vítimas.

Em fevereiro de 2011, os levantes da Primavera Árabe na Tunísia e no Egito se espalharam para a Líbia. Kadafi respondeu com uma selvagem repressão. Ainda que tenha sido capturado com vida após a queda de Sirte, seu último foco de resistência, em outubro, foi morto por combatentes do Exército de Libertação Nacional Líbio antes de ir a julgamento.

HISSEN HABRÉ
À ESPERA DA SENTENÇA

NASCIDO EM 1942 | **DITADOR DO CHADE**

Nascido em 1942, no distrito de Boukou, no Chade, Hissen Habré foi educado em Paris. Retornou ao Chade em 1971, mas no ano seguinte foi para Trípoli, onde estabeleceu um exército de guerrilha chamado Forças Armadas do Norte (FAN). Movimentando-se ao longo da fronteira e entrando no Chade pelo norte, o exército de Habré foi financiado por extorsão e pelo pagamento de resgate de europeus sequestrados. Em 1980, o presidente Oueddei solicitou o apoio da Líbia para resolver o conflito perene entre o sul cristão e negro e o norte árabe e muçulmano, forçando Habré a se refugiar no Sudão. Contudo, ele logo reocuparia cidades no leste do Chade.

Em 1982, Habré tomou o poder, mas formou-se um governo de oposição, comandado por Oueddei e financiado pela Líbia. Em 1983, eclodiu uma guerra civil em larga escala, vencida por Habré com apoio da França. Quando as tropas francesas se retiraram, em 1984, a Líbia interveio com mais força no Chade. Com apoio francês e americano, Habré expulsou as forças de Kadafi do país.

Em 1989, Habré encarou uma malsucedida tentativa de golpe do consultor militar Idriss Déby. Ao final de 1990, o Movimento para a Salvação Nacional do Chade, de Déby, havia capturado Abéché, no leste do país, e, no dia 1º de dezembro, Habré fugiu para Camarões e, dali, para o Senegal. Déby formou um novo governo.

Uma comissão estabelecida em 1991 acusou o governo de Habré de 40 mil assassinatos políticos e 200 mil casos de tortura. Organizações de defesa dos direitos humanos dizem que têm relatos detalhados de 97 casos de assassinatos políticos, 142 casos de tortura e 100 "desaparecimentos". As Nações Unidas deram apoio para que Habré fosse processado por violações de direitos humanos. O Senegal, no entanto, bloqueou as tentativas de extraditá-lo. Em 2013, uma Câmara Extraordinária Africana foi criada para julgá-lo. O julgamento está previsto para começar em 20 de julho de 2015.

O governo de Habré é acusado de mais de 200 mil casos de tortura

SAMUEL DOE
CAOS AFRICANO

1951-1990 | **DITADOR DA LIBÉRIA**

Nascido na Libéria em 1951, Samuel Doe se alistou no exército aos 18 anos. Treinado por forças especiais americanas, ascendeu ao posto de sargento-mestre em 1979.

Como muitos liberianos nativos, ele se ressentia dos privilégios obtidos pelos descendentes dos escravos americanos livres que haviam fundado a colônia, em 1822. Em 12 de abril de 1980, durante a madrugada, Doe e outros 17 soldados organizaram um ataque à mansão presidencial na capital, Monróvia, matando o presidente William R. Tolbert e 30 membros da administração.

Assumindo o controle do governo, Doe se promoveu a general e comandante em chefe. Encabeçando o Conselho de Redenção Popular, suspendeu a Constituição de 133 anos da Libéria e mandou executar sumariamente 13 correligionários do presidente anterior. Membros de sua tribo, krahn, tomaram todos os postos importantes.

Depois de uma tentativa de golpe, Doe promoveu eleições em 1985. Apesar das acusações de fraude e intimidação, um comitê especial eleitoral determinou que ele havia vencido por 51% dos votos. Em 12 de novembro, Doe sobreviveu a outra tentativa de golpe. Em retaliação, o exército tornou-se violento. Os relatos de violações aos direitos humanos se multiplicaram e houve acusações de que milhões de dólares em ajuda americana haviam sido "mal geridos".

Em 1989, o país estava em estado de guerra civil. Em julho de 1990, forças rebeldes avançaram Monróvia adentro e seu líder, Charles Taylor, exigiu a renúncia de Doe. Ele se recusou e negociações de paz foram conduzidas pelos Estados Unidos e pelo Conselho Liberiano de Igrejas. Cinco nações africanas enviaram tropas para garantir a paz, mas a tentativa não funcionou. Ferido em uma troca de tiros, Doe foi capturado e morreu sob tortura logo depois.

Charles Taylor tomou o poder e presidiu sob turbulência até renunciar, em 2003. A eleição de Ellen John Sirleaf, em 2005, marcou uma virada na história dessa nação devastada pela guerra civil.

Doe nos Estados Unidos, em 1982: milhões de dólares "mal geridos"